Nuestra fe católica

Resumen de las creencias básicas

Monseñor John F. Barry, P.A.

Sadlier
División de William H. Sadlier, Inc.

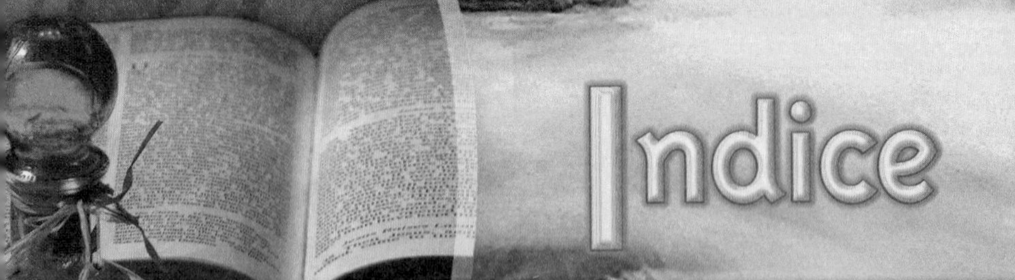

Indice

UNIDAD 1 Creados y salvados

UNIDAD 2 La Iglesia, el pueblo de Dios

Viviendo nuestra fe

Contents

UNIDAD 3 Los sacramentos de iniciación cristiana

UNIDAD 4 Viviendo como discípulos de Jesús

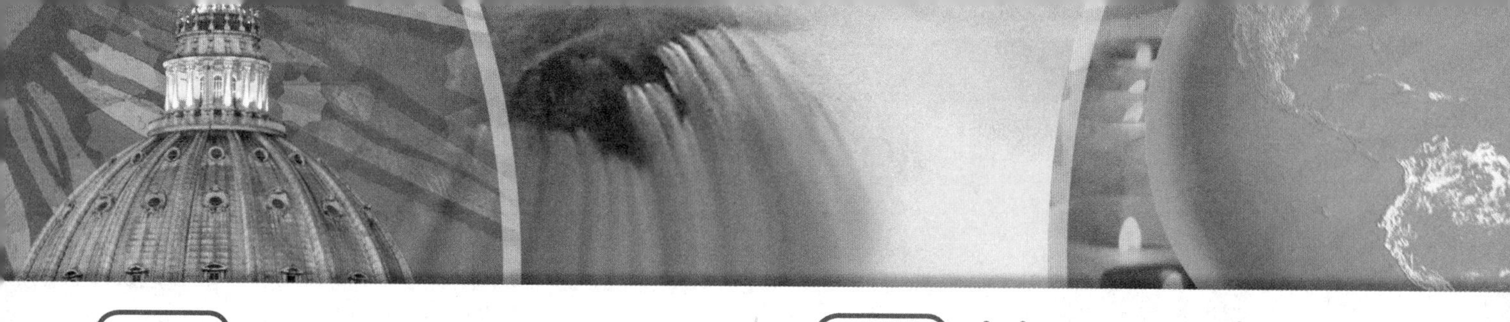

UNIT 3 The Sacraments of Christian Initiation

UNIT 4 Living as Jesus' Disciples

Dios es el creador

Un mundo maravilloso

Dios ha llenado nuestro mundo de muchas cosas maravillosas.

¿Cuáles de esas cosas maravillosas son tus favoritas?

Describe esas cosas con palabras o con un dibujo.

Aprenderemos...

1 Dios creó el universo.
2 Dios prometió enviar a un Salvador.
3 Hay tres personas en un solo Dios.

God Is the Creator

A Wonderful World

God has filled our world with so many wonderful gifts.

Which of God's wonderful gifts are your favorites?

Describe these gifts in words or through art.

We Will Learn...

1 God created the universe.
2 God promised to send a Savior.
3 There are three Persons in one God.

1 Dios creó el universo.

La **Biblia** es el libro sobre el amor de Dios por nosotros y sobre nuestro llamado a vivir como pueblo de Dios. Dios es el autor de la Biblia. Llamamos a la Biblia palabra de Dios ya que Dios guió a los escritores para que escribieran lo que él quería compartir con nosotros.

Al leer el primer libro de la Biblia, el Génesis, aprendemos que todo en el universo fue creado por Dios. En la historia de la creación, leemos que después que Dios creó el cielo y las aguas, la tierra y los animales, Dios creó a los humanos. Dios amó a los humanos tanto que nos creó a su imagen y semejanza. "Y creó Dios a los seres humanos a su imagen . . . varón y mujer los creó". (Génesis 1:27)

Dios le dio a los primeros humanos, a quienes llamamos Adán y Eva, la habilidad de amar, pensar, preguntar, buscar respuestas y tomar decisiones. El plan de Dios para los humanos fue que fueran felices por siempre.

Dios dio a los humanos toda la creación para disfrutarla y protegerla. Dios quería que ellos amaran y fueran felices en el hermoso mundo que él había creado.

Podemos leer la historia de la creación en el libro de Génesis 1:1—2:4 y Génesis 2:4-25.

Cuando vemos la belleza de la creación nos damos cuenta de que Dios nos ha dado todo. Pensamos en los dones que Dios nos ha dado en nuestro mundo, debemos tomar tiempo para agradecerle. Podemos hacerlo respetando a cada persona porque ella ha sido creada a imagen y semejanza de Dios. Podemos también cuidar del mundo que Dios nos ha dado y compartir esa bondad con todos.

¿De qué forma mostrarás respeto por otros esta semana?

¿De qué forma puedes cuidar de los dones de la creación de Dios?

¿Sabías?

Sólo Dios creó el mundo. El creó a cada persona a su imagen y semejanza. Cada persona es una unidad de cuerpo y alma. El alma es la parte invisible y la realidad espiritual que nos hace humanos. El alma es inmortal, lo que quiere decir que nunca muere. Cuando una persona muere su alma se separa del cuerpo. El alma y el cuerpo se reunirán de nuevo cuando Cristo venga en gloria al final de los tiempos.

1 God created the universe.

The **Bible** is the book about God's love for us and about our call to live as God's people. God is the author of the Bible since he guided the writers to record the things he wanted to share with us. We call the Bible the Word of God.

As we read the first book of the Bible, Genesis, we learn that everything in the universe was created by God. In the story of Creation, we read that after God created the sky, the bodies of water, the land, and the animals, God created human beings. God loved human beings so much he created us in his image and likeness. "God created man in his image; . . . /male and female he created them." (Genesis 1:27)

God gave the first human beings, whom we call Adam and Eve, the ability to love, to think and wonder, to ask questions and look for answers, and to make choices. God's plan for human beings was that they be happy with him forever.

God gave the first humans the whole of Creation to enjoy and protect. God wanted people to love and to be happy and to share in his goodness and beauty. We can read the whole story of Creation in Genesis 1:1—2:4 and Genesis 2:4–25.

When we see the beauty of Creation, we realize a loving God has given us everything. We should take time to thank him. We can do this by respecting each person because she or he is made in the image and likeness of God. We can also do this by taking care of the world—God's gift to us—so that we can share its goodness with all people.

In what ways can you show respect for others this week?

In what ways can you care for God's gifts of Creation?

Do You Know?

God alone created the world. He created each person in his image and likeness. Each person is a unity of body and soul. The soul is the invisible and the spiritual reality that makes each of us human. The soul is immortal, which means it will never die. At death the soul is separated from the body. But the soul will be reunited with the body when Christ comes in glory at the end of time.

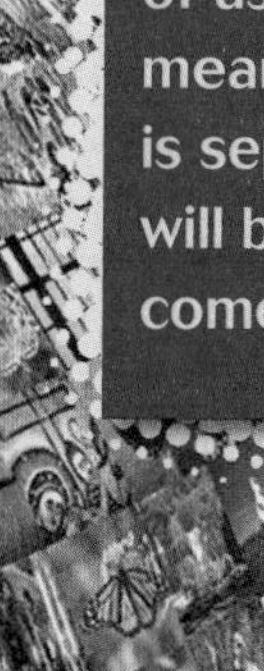

2 Dios prometió enviar a un Salvador.

Uno de los regalos más grandes de Dios a la humanidad es el don del libre albedrío. Los primeros humanos fueron libres de escoger hacer el bien o el mal. Dios no los obligaba a hacer nada. Dios confiaba en ellos para actuar con amor por él en vez de ser egoístas. En el plan de Dios los humanos vivirían en paz y armonía. Ellos no se enfermarían ni morirían.

Pero en el Génesis, aprendemos como el mal entró al mundo. Leemos que tentados por el demonio, Adán y Eva decidieron no usar su libertad con sabiduría. Ellos decidieron actuar con egoísmo y apartarse del amor de Dios, quien los había creado. Cuando escogieron alejarse de Dios, cometieron el primer pecado, llamado **pecado original**. Este pecado debilitó la naturaleza humana y trajo ignorancia, sufrimiento y muerte al mundo. De ahí que todo ser humano nazca con el pecado original.

Aun cuando los primeros humanos pecaron, Dios los siguió amando. El prometió que no dejaría a su pueblo. Dios prometió que él enviaría a un Salvador—alguien que los salvaría del pecado. En el plan de Dios, por el poder del Espíritu Santo, Dios Padre enviaría a su único Hijo para salvar a todo el mundo del pecado.

¿Por qué crees que el libre albedrío es uno de los grandes dones de Dios a la humanidad?

God promised to send a Savior.

One of God's greatest gifts to humans is the gift of free will. The first humans were free to choose either to do good or evil. God would not force them to do anything. God trusted them to act out of love for him rather than selfishness. In God's plan, humans would live in peace and harmony. They would never be sick or die.

But in Genesis, we learn how evil entered the world. We read that tempted by the devil, Adam and Eve chose not to use their freedom wisely. They chose to act selfishly and to turn away from the loving God who had created them. When they chose to turn away from God, they committed the first sin, called **Original Sin**. This sin weakened human nature and brought ignorance, suffering, and death into the world. From then on all human beings have been born with Original Sin.

Even though the first humans sinned, God still loved them. He promised that he would not turn away from his people. God promised that he would send a Savior—someone who would save them from sin. In God's plan, through the power of the Holy Spirit, God the Father would send his only Son to save all people from sin.

Why do you think free will is one of God's greatest gifts?

3 Hay tres Personas en un solo Dios.

Dios Padre, Dios Hijo y Dios Espíritu Santo son tres personas en un Dios. Llamamos a estas tres personas en un Dios: **Santísima Trinidad**. La Santísima Trinidad es un misterio de fe. Es una verdad de fe que entenderemos totalmente cuando compartamos la vida con Dios en el cielo. La Santísima Trinidad es la verdad central de nuestra fe y de nuestra vida de fe.

Una forma de mostrar nuestra fe en la Santísima Trinidad es haciendo la Señal de la Cruz.

¿Cuándo harás la señal de la cruz esta semana?

La señal de la cruz

En el nombre

de Padre, (1)

y del Hijo, (2)

y del

Espíritu (3) Santo. (4)

Amén.

3 There are three Persons in one God.

God the Father, God the Son, and God the Holy Spirit are three Persons in one God. We call the three Persons in one God: God the Father, God the Son, and God the Holy Spirit, the **Blessed Trinity**. The Blessed Trinity is a mystery of faith. It is a belief that we will not fully understand until we are sharing life forever with God in Heaven. The Blessed Trinity is the central belief of our faith and of our life of faith.

One way to show our belief in the Blessed Trinity is to pray the Sign of the Cross.

When will you pray the Sign of the Cross this week?

The Sign of the Cross

In the name
of the Father, (1)
and of the Son, (2)
and of the
Holy (3) Spirit. (4)
Amen.

Repaso

Completa las siguientes afirmaciones.

1. Dios creó a los humanos a su ______________________ y semejanza.
2. La ______________________ es el libro sobre el amor de Dios por nosotros y nuestro llamado a vivir como su pueblo.
3. Dios prometió enviarnos a un ______________________ para salvarnos del pecado.
4. Llamamos a las tres personas en un Dios: Dios padre, Dios Hijo y Dios Espíritu Santo la ______________________.

Conversen sobre lo siguiente:

5. ¿Qué quería Dios que hicieran los humanos con el mundo que había creado?
6. ¿Cuáles son los efectos del pecado original?
7. ¿Qué prometió Dios a Adán y Eva después que pecaron?

Vocabulario

Biblia (p. 8)

pecado original (p. 10)

Santísima Trinidad (p. 12)

Con mi familia

Compartiendo nuestra fe

1. **Dios creó el universo.**
2. **Dios prometió enviar a un Salvador.**
3. **Hay tres Personas en un solo Dios.**

REZANDO  JUNTOS

Recen la siguiente oración a la Santísima Trinidad con frecuencia esta semana:

Gloria al Padre, y al Hijo
y al Espíritu Santo,
como era en el principio, ahora y siempre,
por los siglos de los siglos. Amén

Viviendo nuestra fe

Esta semana recuerda a los miembros de tu familia que Dios nos dio el mundo para disfrutarlo y protegerlo.

Juntos hagan una lista de las formas en que pueden proteger el medio ambiente. Escogan una o dos formas de la lista para hacer juntos durante esta semana.

____

____

____

____

____

____

Review

Complete the following sentences.

1. God created people in his __________ and likeness.
2. The ______________________ is the book about God's love for us and our call to live as God's people.
3. God promised to send us a ______________ to save us from sin.
4. We call the three Persons in one God: God the Father, God the Son, and God the Holy Spirit, the ______________________.

Discuss the following.

5. What did God want people to do with the world he had created?
6. What are the effects of Original Sin?
7. What was God's promise to Adam and Eve after they sinned?

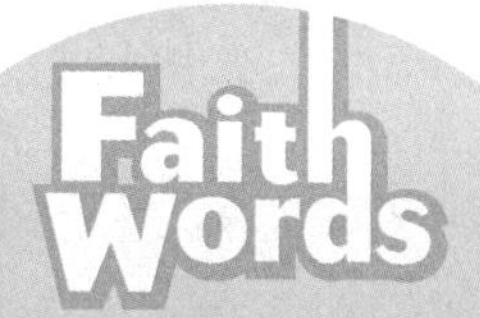

Bible (page 9)

Original Sin (page 11)

Blessed Trinity (page 13)

With My Family

Sharing Our Faith

1. God created the universe.
2. God promised to send a Savior.
3. There are three Persons in one God.

PRAYING TOGETHER

Praise the Blessed Trinity often this week by praying:

Glory to the Father, and to the Son,
and to the Holy Spirit:
as it was in the beginning,
is now, and will be for ever. Amen.

Living Our Faith

This week remind your family members that God gave us the world to enjoy and protect.

Together list ways you can protect the environment. Choose one or two ways from your list to work on together this week.

____

____

____

____

____

____

____

Dios envió a su único Hijo

Un día de buenas noticias

El jueves pasado el señor Díaz recogió a sus hijos en la escuela. Ellos corrieron hacia el carro, querían compartir la noticia.

Víctor le dijo a su papá: "La directora anunció a los ganadores del concurso de lectura. ¿Adivina qué? Mi nombre fue anunciado como el segundo ganador. Estuve tan sorprendido".

El señor Díaz dijo: "Estoy orgulloso de ti, Víctor, ¿cuál fue tu premio?"

Respuesta de Víctor:

"______________________________"

(escribe la respuesta)

Después Rosa dijo: "Yo también tengo una noticia. La gata de Emilia tuvo gatitos. Ella trajo algunas fotos. Los gatitos son muy bonitos. La mamá me dijo que podía tener uno, pero que tenía que hablar contigo y con mami. Si aceptas voy a llamar al gato:

____

(escribe la respuesta)

El señor Díaz le dijo a los mellizos: "Yo también tengo una noticia que darles. El abuelo me envió un mensaje hoy. El y la abuela vienen a vernos. Ellos vendrán manejando desde Carolina del Sur. Estarán aquí a tiempo para el picnic del sábado".

Víctor y Rosa dijeron: "Tenemos mucho que contar a mami".

El señor Díaz dijo: "Tienes razón, Víctor. Creo que debemos celebrar. Vamos a comer fuera. En camino al restaurante podemos turnarnos para contar las noticias a mamá".

Rosa dijo: "Quizás mami tenga buenas noticias que contarnos".

¿Qué buenas noticias has escuchado recientemente?

¿Quién comparte buenas noticias contigo?

¿Con quién compartes buenas noticias?

God Sends His Only Son 2

A Day for Good News

Last Tuesday Mr. Diaz picked up his twins after school. Both ran to the car. They couldn't wait to share their great news.

Victor told his dad, "Our principal announced the prize winners of the read-a-thon. Guess what! she announced my name as the second prize winner. I was so surprised!"

Mr. Diaz said, "I'm so proud of you, Victor. What is your prize?"

Victor answered,

" ______________________________ "

(fill in your answer)

Then Rosa said, "I have good news, too. My friend Emily's cat had kittens last Sunday. Emily brought in some pictures. The kittens are so cute! Emily's mom said that I could have one to talk to you and Mom first. If you say yes, I'm going to name the kitten

" ______________________________ "

(fill in your answer)

Mr. Diaz told the twins, "Now I have good news to tell you. Grandpa sent me an e-mail message today. He and Grandma are coming to visit. They are going to drive from their new home in South Carolina. They'll be here in time for the family picnic next Saturday."

Victor and Rosa cheered. Then Victor said, "We have a lot to tell Mom"

Mr. Diaz said, "You're right, Victor. I think we should celebrate. Let's go out for dinner. On the way to the restaurant we can take turns telling Mom our good news."

Rosa said, "And maybe Mom will have good news to tell us, too!"

What good news have you heard recently?

Who shared the good news with you?

With whom did you share the news?

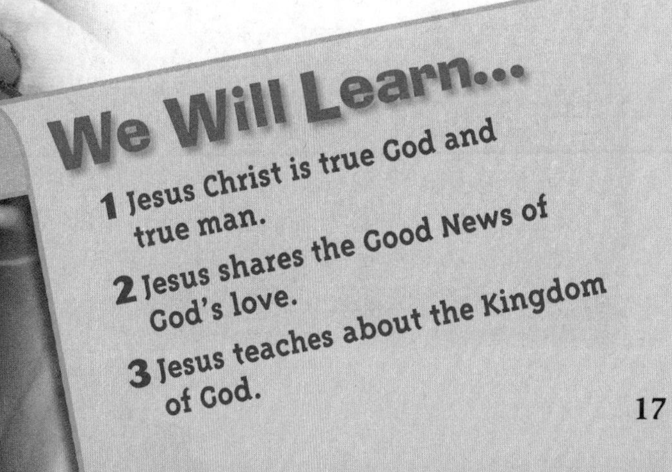

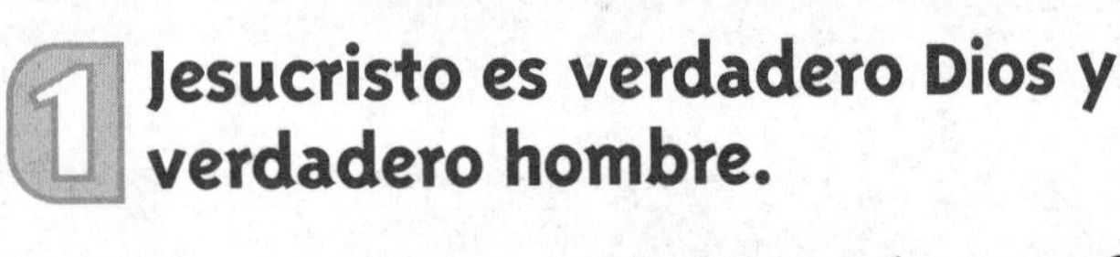

1 Jesucristo es verdadero Dios y verdadero hombre.

La verdad de que el Hijo Dios, la segunda Persona de la Santísima Trinidad, se hizo hombre es llamada **encarnación**. Aprendemos sobre este misterio de nuestra fe en la Biblia.

En el Evangelio de Lucas, leemos que un día el ángel Gabriel le dio un mensaje a una joven judía llamada María. Gabriel le dijo a María que Dios quería que ella fuera la madre de su hijo. El ángel también le dijo que ella debía llamar al niño Jesús, que significa "Dios salva".

María le preguntó cómo podía suceder eso. El ángel le contestó: "El Espíritu Santo vendrá sobre ti y el poder del altísimo te cubrirá con su sombra; por eso, el que va a nacer será santo y se llamará Hijo de Dios". (Lucas 1:35)

María estuvo de acuerdo en ser la madre del Hijo de Dios. Ella dio a luz un hijo y lo llamó Jesús. Jesucristo es divino y humano. **Divino** es una palabra que usamos para referirnos a Dios.

Jesucristo es divino, él es el Señor. El hizo cosas que sólo Dios puede hacer. El es también humano; él es como nosotros en todo menos en el pecado.

¿Qué es la encarnación?

¿Sabías?

Los ángeles son criaturas creadas por Dios como espíritus puros. No tienen cuerpo físico. Ellos son mensajeros de Dios. Sirven a Dios en su plan de salvación para nosotros y constantemente adoran a Dios.

1 Jesus Christ is true God and true man.

The truth that God the Son, the second Person of the Blessed Trinity, became man is called the **Incarnation**. We learn about this mystery of our faith in the Bible.

In the Gospel of Luke, we read that one day the angel Gabriel gave a message to a young Jewish woman named Mary. Gabriel told Mary that God wanted her to be the mother of his Son. The angel also told Mary that she was to name the child *Jesus*, which means "God saves."

Mary told the angel that she did not fully understand how this would happen. The angel answered, "The holy Spirit will come upon you, and the power of the Most High will overshadow you. Therefore the child to be born will be called holy, the Son of God" (Luke 1:35).

Mary agreed to be the Mother of God's Son. She gave birth to a son and called him Jesus. Jesus Christ is truly the Son of God and Mary's Son. Jesus Christ is both divine and human. **Divine** is a word we use to describe God.

Jesus Christ is divine; he is Lord. He did things only God can do. He is also human; he is like us in all things, except he is without sin.

What do we mean by the Incarnation?

Do You Know?

Angels are creatures created by God as pure spirits. They do not have physical bodies. Angels serve God as his messengers. They serve God in his saving plan for us and constantly give him praise.

2 Jesús comparte la buena nueva del amor de Dios.

Cuando Jesús tenía unos treinta años, empezó su trabajo con el pueblo. Jesús vino a compartir el amor de Dios con todo el mundo y a salvarlo del pecado. La misión de Jesús fue predicar la buena nueva del amor de Dios. Todas las palabras y obras de Jesús—milagros, oraciones, su crucifixión y resurrección—fueron hechas bajo la guía del Espíritu Santo. Toda la vida de Jesús fue una continua enseñanza.

Por medio de sus palabras y obras Jesús enseñó al pueblo a conocer y amar a Dios. El

- dio de comer a los que tenían hambre
- sanó a los enfermos
- perdonó a los pecadores
- dio su amistad a los enfermos y necesitados
- mostró al pueblo como amar a Dios
- enseñó a la gente a amar a otros como Dios los ama.

Jesús dijo al pueblo que Dios perdona, ama y cuida de todos nosotros. Nadie es dejado fuera. El llamó al pueblo a seguirlo y compartir su misión. Muchas personas aceptaron la invitación de Jesús. Los que lo siguieron fueron llamados **discípulos**.

Jesús escogió a doce de sus discípulos para dirigir a la comunidad de sus seguidores. Estos doce hombres escogidos por Jesús para compartir su misión de manera especial son los **apóstoles**.

¿Cómo puedes mostrar que quieres seguir a Jesús como su discípulo esta semana?

2 Jesus shares the Good News of God's love.

When Jesus was about thirty years old, he began his work among the people. Jesus was to share the love of God with all people and to save all people from sin. So Jesus' mission was to spread the Good News of God's love.

And all of Jesus' words and actions—from his miracles and prayers to his Crucifixion and Resurrection—were carried out through the guidance of the Holy Spirit. Jesus' whole life was a continual teaching.

Through his words and actions Jesus taught people to know and love God. He

- fed the hungry
- cured the sick
- forgave sinners
- was a friend to those who were sick or in need
- showed people how to love God
- taught people to love others as God loves them.

Jesus told the people that God loves, forgives, and cares for all of us. No one is left out. He called people to follow him and share his mission. Many people accepted Jesus' invitation. Those who followed him were his **disciples**.

Jesus chose twelve of his disciples to lead the community of his followers. These twelve men whom Jesus chose to share in his mission in a special way are the **Apostles**.

This week how can you show that you want to follow Jesus as his disciple?

3 Jesús enseña sobre el reino de Dios.

Muchas personas seguían a Jesús dondequiera que iba. Ellos querían escuchar sus enseñanzas. Jesús con frecuencia habló sobre el reino de Dios. El les dijo: "El reino de Dios está llegando". (Marcos 1:15)

El reino de Dios no es un lugar que podemos encontrar en un mapa. El **reino de Dios** es el poder del amor de Dios activo en nuestras vidas y el mundo. El reino de Dios se hizo presente por medio de las palabras y obras de Jesús.

Jesús nos enseñó sobre el reino de Dios contando historias especiales llamadas parábolas. En una de sus parábolas Jesús dijo que el reino de Dios era como un gran tesoro que la gente quería sobre todas las cosas. (Ver Mateo 13:44).

En otra parábola Jesús dijo que el reino de Dios era como una semilla de mostaza, una semilla muy pequeña que se convierte en un gran árbol. (Ver Mateo 13:31–32).

Jesús enseñó que la forma de vivir para el reino de Dios es alejándose del pecado y haciendo lo que Dios nos pide hacer. Todos somos invitados a participar en el reino y a predicar el amor de Dios en el mundo. Toda persona está invitada a ser fiel seguidora de Jesús.

El reino de Dios no se completará hasta que Jesús regrese en gloria al final de los tiempos. Así que cada día debemos trabajar y vivir por el reino de Dios mientras esperamos estar con Dios por siempre en el cielo.

¿Cómo podemos vivir para el reino de Dios?

3 Jesus teaches about the Kingdom of God.

Crowds of people followed Jesus everywhere he went. They wanted to hear him teach. Jesus often spoke about the Kingdom of God. He told them, "The kingdom of God is at hand" (Mark 1:15).

The Kingdom of God is not a place you can find on a map. The **Kingdom of God** is the power of God's love active in our lives and in our world. The Kingdom of God was made present through Jesus' words and actions.

Jesus taught us about God's Kingdom in special stories called parables. In one parable Jesus said that the Kingdom of God was like a great treasure that people would want above all things. (See Matthew 13:44.)

In another parable Jesus said that the Kingdom of God was like a mustard seed, a tiny seed that grows into a very large plant. (See Matthew 13:31–32.)

Jesus taught that the way to live for God's Kingdom is by turning away from sin and doing what God asks us to do. All people are invited to become a part of the Kingdom and to spread God's love in the world. All people are invited to become faithful followers of Jesus.

The Kingdom of God will not be complete until Jesus returns in glory at the end of time. So each day we work and live for God's Kingdom as we look forward to being with God forever in Heaven.

How do we live for the Kingdom of God?

Repaso

Escribe en la raya la letra al lado de la definición de la palabra.

1. ____ apóstoles
2. ____ parábola
3. ____ divino
4. ____ discípulos

a. los que siguen a Jesús

b. palabra usada para describir a Dios

c. historia contada por Jesús

d. los doce hombres escogidos por Jesús para compartir su misión en forma especial

Conversen sobre lo siguiente:

5. ¿Qué es la encarnación?
6. ¿Qué es el reino de Dios?

Vocabulario

encarnación (p. 18)
divino (p. 18)
discípulos (p. 20)
apóstoles (p. 20)
reino de Dios (p. 22)

Con mi familia

Compartiendo nuestra fe

1. **Jesucristo es verdadero Dios y verdadero hombre.**
2. **Jesús comparte la buena nueva del amor de Dios.**
3. **Jesús enseña sobre el reino de Dios.**

REZANDO  JUNTOS

En el Padrenuestro, rezamos para que el reino de Dios se cumpla.

Padre nuestro, que estás en el cielo,
santificado sea tu nombre;
venga a nosotros tu reino;
hágase tu voluntad en la tierra como en el cielo.
Danos hoy nuestro pan de cada día;
perdona nuestras ofensas,
como también nosotros perdonamos a los que nos ofenden;
no nos dejes caer en la tentación,
y líbranos del mal.

Viviendo nuestra fe

Esta semana junto con tu familia, lean y conversen sobre una o dos de las parábolas de Jesús sobre el reino de Dios (ver Mateo 13). Decidan cuál de estas parábolas tiene mayor significado para ustedes. Después escriban o hagan un dibujo de una o dos formas en que pueden ayudar a extender el reino de Dios.

Review

Write the letter of the answer that best defines each term.

1. ____ Apostles
2. ____ parable
3. ____ divine
4. ____ disciples

a. those who followed Jesus

b. a word used to describe God

c. a special story Jesus told

d. the twelve men whom Jesus chose to share in his mission in a special way

Discuss the following.

5. What is the Incarnation?
6. What is the Kingdom of God?

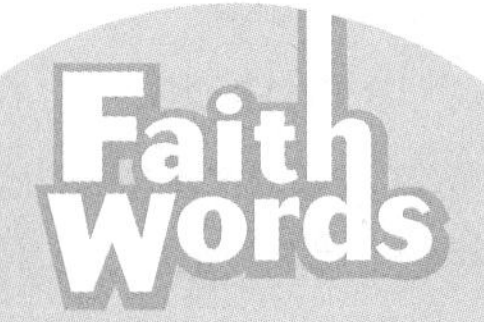

Incarnation (page 19)
divine (page 19)
disciples (page 21)
Apostles (page 21)
Kingdom of God (page 23)

With My Family

Sharing Our Faith

1. **Jesus Christ is true God and true man.**
2. **Jesus shares the Good News of God's love.**
3. **Jesus teaches about the Kingdom of God.**

PRAYING TOGETHER

In the Lord's Prayer we pray for the fulfillment of God's Kingdom.

Our Father, who art in heaven,
hallowed be thy name;
thy kingdom come;
thy will be done on earth
as it is in heaven.
Give us this day our daily bread;
and forgive us our trespasses
as we forgive those who trespass against us;
and lead us not into temptation,
but deliver us from evil. Amen.

Living Our Faith

This week with your family, read and discuss one or two of Jesus' parables about the Kingdom of God (see Matthew 13). Decide which parable is most meaningful for you. Then write about or draw a picture of one or two ways you can help spread the Kingdom of God.

Jesucristo es nuestro Salvador

Signo de amor y esperanza

El mes pasado la casa de la familia Ramírez fue parcialmente destruida por una tormenta. Alexa y sus padres se quedaron en la casa de la tía Ana. Todos los días, los padres de Alexa iban a su casa a unos cuantos kilómetros de distancia. Su meta era limpiar y reparar la casa.

Una mañana cuando Alexa despertó escuchó un ruido afuera. Salió a ver lo que pasaba y vio a su tía Ana martillando platos rotos. Alexa estaba confundida y le preguntó: "¿Qué haces tía Ana?"

Ella le explicó: "Tus padres trajeron una caja de platos rotos ayer. Tu mamá atesoraba estos platos porque fueron el regalo de bodas de tus abuelos. Tu mamá estaba muy triste porque se habían roto. Ella no podía tirarlos a la basura".

Alexa preguntó: "¿Por qué los estás rompiendo?"

"Voy a usar los pedazos para hacer un regalo especial para tu mamá. Voy a hacer un mosaico en forma de cruz. ¿Quieres ayudarme?"

Alexa quería ayudar y trabajaron durante toda la mañana. Alexa le preguntó a la tía: "¿Por qué estamos haciendo una cruz?"

La tía le dijo: "Para mí la cruz es un símbolo de esperanza. Pienso en el amor de Jesús por nosotros. Recuerdo que él murió en la cruz y resucitó de la muerte por nosotros. También recuerdo que él prometió que siempre estaría con nosotros. Cuando la casa esté reparada, tus padres pueden colgar la cruz donde todos puedan verla. Al mirarla puedes pensar en el amor de Jesús. Puedes recordar que Jesús está contigo en momentos felices, en tiempos de paz, en las preocupaciones y en tiempo de tormenta".

¿Qué crees que dirán los padres de Alexa cuando vean la cruz?

¿En qué piensas cuando ves una cruz?

Aprenderemos...

1. Jesús nos dio la Eucaristía en la última cena.
2. Jesús murió en la cruz para salvarnos del pecado.
3. Jesús resucitó de la muerte para darnos nueva vida.

Jesus Christ Is Our Savior

Sign of Hope and Love

Last month the Federov's home was partly destroyed by a storm. Alexa and her parents went to stay at her Aunt Anna's house. Every day Alexa's parents would travel back to their home, a few miles away. Their goal was to clean up and repair the house.

One morning when Alexa woke, she heard noises outside. She went to see what was happening. Alexa saw her Aunt Anna carefully hammering broken dishes on a table in the driveway. Alexa was confused and asked, "What are you doing, Aunt Anna?"

Aunt Anna explained, "Your mom and dad brought back a box of these broken dishes. Your mom treasured these dishes because the set was a wedding gift from your grandparents. Your mom was upset when she saw the dishes broken and scattered. She couldn't throw away the pieces."

Alexa asked, "Then why are you breaking the dishes into smaller pieces?"

"I'm going to use the pieces to make a special gift for your mom. I'm going to make a mosaic cross. Would you like to help me?"

Alexa wanted to help so she and Aunt Anna worked on the mosaic all morning. Alexa asked, "Why are we making a cross?"

Aunt Anna said, "For me a cross is a sign of hope. I think about Jesus' love for us. I remember that he died on the crosss and rose from the dead for us. I also remember that he promised to be with us always. When your house is repaired, your parents can hang the cross where all of you will see it often. As you look at it, you can think about Jesus' love. And you can remember that Jesus is with you in happy, peaceful times as well as in the troubled, stormy times."

What do you think Alexa's parents will say when they see the cross?

What do you think about when you see a cross?

We Will Learn...

1. Jesus gave us the Eucharist at the Last Supper.
2. Jesus died on the cross to save us from sin.
3. Jesus rose from the dead and brought us new life.

1 Jesús nos dio la Eucaristía en la última cena.

Todos los años, el pueblo judío se reúne para celebrar la fiesta de pascua. En tiempos de Jesús, muchas personas se reunían en Jerusalén para la fiesta. Ellos alababan y adoraban a Dios en el Templo.

Jesús y sus discípulos fueron a Jerusalén el domingo antes de Jesús morir. Ellos se quedaron en la ciudad toda la semana y Jesús enseñó afuera del Templo todos los días.

En la noche antes de morir, Jesús y sus discípulos se reunieron para celebrar la comida de pascua. En la comida Jesús les dio a sus discípulos una forma especial para que lo recordaran y para que estuvieran con él. Esto fue lo que Jesús dijo durante la comida: "Durante la cena, Jesús tomó pan, pronunció la bendición, lo partió, lo dio a sus discípulos y dijo: 'Tomen, esto es mi cuerpo'. Tomó luego un cáliz, pronunció la acción de gracias, lo dio a sus discípulos y bebieron todos de él. Y les dijo: 'Esta es mi sangre'". (Marcos 14:22–24)

Como esta fue la última comida que Jesús compartió con sus discípulos antes de morir la llamamos la **última cena**. En la última cena Jesús se dio a sí mismo a los discípulos en el pan y el vino que se convirtieron en su Cuerpo y Sangre.

Jesús nos dio el regalo de la Eucaristía en la última cena. La Eucaristía es el sacramento del Cuerpo y la Sangre de Jesucristo. Jesús está realmente presente bajo las apariencias de pan y vino. La presencia de Jesús en la Eucaristía es llamada **presencia real**.

La noche antes de morir, ¿qué hizo Jesús por sus discípulos?

1 Jesus gave us the Eucharist at the Last Supper.

Every year Jewish people gather to celebrate the Feast of Passover. In the time of Jesus, many gathered in Jerusalem for the feast. They praised and worshiped God in the Temple there.

Jesus and his disciples went to Jerusalem on the Sunday before Jesus died. They stayed in the city all week, and Jesus taught outside the Temple every day.

On the night before Jesus died, he and his disciples gathered to celebrate the Passover meal. At the meal Jesus gave the disciples a special way to remember him and to be with him. Here is what Jesus said and did at the meal. "While they were eating, he took bread, said the blessing, broke it, and gave it to them, and said, 'Take it; this is my body.' Then he took a cup, gave thanks, and gave it to them, and they all drank from it. He said to them, 'This is my blood.'" (Mark 14:22–24)

Since this was the last meal Jesus shared with his disciples before he died, we call this meal the **Last Supper**. At the Last Supper Jesus gave himself to the disciples in the bread and wine which became his Body and Blood.

At the Last Supper Jesus gave us the gift of the Eucharist. The Eucharist is the sacrament of the Body and Blood of Jesus Christ. Jesus is really present under the appearances of bread and wine. This true presence of Jesus Christ in the Eucharist is called the **Real Presence**.

On the night before Jesus died, what did he do for his disciples?

Jesús murió en la cruz para salvarnos del pecado.

Algunos líderes poderosos no creyeron que Jesús era el Hijo de Dios. Ellos complotaron contra él. Después de la última cena, Jesús fue a rezar a un jardín con sus apóstoles. Los líderes fueron allí para arrestarlo.

A la mañana siguiente Jesús fue sentenciado a muerte. Los soldados forzaron a Jesús a cargar una cruz hasta el calvario, una montaña en las afueras de Jerusalén. Ahí Jesús fue crucificado, clavado en una cruz. Aun cuando estaba muriendo Jesús perdonó a los que lo habían crucificado. El rezó: "Padre, perdónalos, porque no saben lo que hacen". (Lucas 23:34)

¿Sabías?

En la fiesta de Pascua el pueblo judío recuerda y celebra la forma maravillosa en que Dios salvó a sus antepasados de la esclavitud y la muerte en Egipto. Dios "pasó" sobre las casas de su pueblo, lo protegió del sufrimiento que causó a los egipcios la muerte de sus primogénitos. Después Dios salvó a Moisés y a los israelitas ayudándolos a cruzar el Mar Rojo y salir de Egipto. Dios hizo una alianza, un acuerdo, con Moisés, como había hecho con Noé y todas las cosas vivas después del diluvio y como lo había hecho con Abrahán y su descendencia. Por esta alianza Dios sería su Dios, los protegería y les daría lo necesario, ellos serían su pueblo.

Por medio de la muerte y resurrección de Jesucristo, una nueva alianza fue hecha entre Dios y su pueblo. Por medio de esta nueva alianza somos salvos. Podemos compartir en la vida de Dios de nuevo.

Cristo de San Juan de la Cruz, Salvador Dali, 1951
Culture and Sport Glasgow (Museums)

La madre de Jesús, María, y otras mujeres discípulas de Jesús y el apóstol Juan estaban con Jesús mientras sufría y moría en la cruz. Muchos de los discípulos de Jesús se escondieron por temor a ser arrestados.

Después que Jesús murió, su cuerpo fue puesto en un sepulcro. Colocaron una roca en la puerta. Entristecidos, los discípulos se fueron a los lugares donde se estaban quedando.

¿Por qué Jesús fue sentenciado a muerte?

Jesus died on the cross to save us from sin.

Some powerful leaders did not believe that Jesus was the Son of God. They plotted against him. After the Last Supper, Jesus went to pray in a garden with some of the Apostles. While they were there, the leaders had Jesus arrested.

The next morning Jesus was sentenced to die. The soldiers forced Jesus to carry a heavy cross to Calvary, a hill outside Jerusalem. There Jesus was crucified—that is, nailed to a cross. Yet, even as he was dying, Jesus forgave those who had crucified him. He prayed: "Father, forgive them, they know not what they do" (Luke 23:34).

Jesus' mother Mary, other women disciples, and the Apostle John stayed by Jesus as he suffered and died on the cross. Many of Jesus' disciples hid because they were afraid that they, too, would be arrested.

After Jesus died, his body was taken down from the cross and laid in a tomb. A great stone was rolled in front of it. Then, filled with sadness, the disciples left to return to the places where they were staying.

Why was Jesus sentenced to die?

Do You Know?

On the Feast of Passover the Jewish people remember and celebrate the wondrous way that God saved their ancestors from slavery and death in Egypt. God "passed over" the houses of his people, protecting them from the suffering that came to the Egyptians—the death of every first-born son. God then saved Moses and the Israelites by helping them to cross the Red Sea and flee Egypt. God made a covenant, an agreement, with Moses as he had made an everlasting covenant with Noah and all living beings after the flood and as he had with Abraham and his descendants. By the covenant God made with Moses and the Israelites, God would be their God, protecting and providing for them, and they would be his people.

Through Jesus Christ's Death and Resurrection, a new covenant was made between God and his people. Through this new covenant we are saved. We can share in God's life again.

3 Jesús resucitó de la muerte para darnos una nueva vida.

Temprano en la mañana del domingo después que Jesús murió, algunas mujeres discípulos fueron a la tumba para ungir el cuerpo de Jesús. Al acercarse a la tumba vieron que la roca que cubría la entrada no estaba. Las mujeres pensaron que alguien había robado el cuerpo de Jesús.

Las mujeres vieron a un hombre vestido con ropa brillante. El hombre les dijo: "¿Por qué buscan entre los muertos al que está vivo? No está aquí, ha resucitado". (Lucas 24:5–6)

Las mujeres corrieron a decir a los apóstoles que Jesús había resucitado tal como se lo había dicho. El misterio de Jesucristo volver a la vida es llamado **resurrección**.

Por su muerte y resurrección, Jesucristo nos salvó del poder del pecado y la muerte. Jesús es nuestro Salvador. **Salvador** es un título dado a Jesús porque él murió y resucitó para salvarnos. Jesús prometió que sus fieles seguidores también compartirían en su resurrección y tendrían vida eterna. Por medio de Jesucristo, nuestro salvador, tenemos nueva vida—compartimos en la vida de Dios ahora y esperamos vivir por siempre con Dios.

Todos los años celebramos la fiesta de la resurrección de Jesucristo el Domingo de Pascua.

¿Cómo crees se sintieron los discípulos de Jesús cuando escucharon que él había resucitado?

3 Jesus rose from the dead and brought us new life.

Early on the Sunday morning after Jesus died, some women disciples went to the tomb to anoint Jesus' body. As the women neared the tomb, they saw that the stone in front of it had been rolled back. The women thought someone had stolen Jesus' body.

But then the women saw two men in dazzling garments. The men said, "Why do you seek the living one among the dead? He is not here, but he has been raised" (Luke 24:5–6).

The women ran to tell the Apostles that Jesus had risen from the dead just as he had told them he would do. The mystery of Jesus Christ rising from the dead is the **Resurrection**.

Through his Death and Resurrection, Jesus Christ saved us from the power of sin and death. Jesus is our Savior. **Savior** is a title given to Jesus because he died and rose from the dead to save us. Jesus promised that his faithful followers would also share in his Resurrection and have eternal life. Through Jesus Christ, our risen Savior, we have new life—we share in God's own life now and have the hopes of living with God forever.

Each year we celebrate the Feast of the Resurrection of Jesus Christ on Easter Sunday.

How do you think Jesus' disciples felt when they heard that he had risen from the dead?

Repaso

Escribe *verdadero* o *falso* al lado de la oración. En una hoja de papel aparte cambia la oración negativa en afirmativa.

1. ____________ Jesús y sus discípulos fueron a Egipto para celebrar la fiesta de la pascua.
2. ____________ Jesús se dio a sí mismo en la Eucaristía la noche antes de morir.
3. ____________ La mayoría de los discípulos se quedaron con Jesús mientras moría en la cruz.
4. ____________ Las mujeres discípulas compartieron la noticia de la resurrección de Jesús.

Conversen sobre lo siguiente:

5. ¿Por qué Jesús y sus discípulos estaban en Jerusalén la semana antes de él morir?
6. ¿Por qué algunos líderes en el poder mandaron a arrestar y sentenciar a Jesús?
7. ¿Qué hizo Jesús por nosotros con su muerte y resurrección?

Vocabulario

última cena (p. 28)
presencia real (p. 28)
resurrección (p. 32)
Salvador (p. 32)

Con mi familia

Compartiendo nuestra fe

1. **Jesús nos dio la Eucaristía en la última cena.**
2. **Jesús murió en la cruz para salvarnos del pecado.**
3. **Jesús resucitó de la muerte para darnos una nueva vida.**

REZANDO JUNTOS

En la misa, después que el pan y el vino se han convertido en el Cuerpo y la Sangre de Cristo, el sacerdote nos invita a proclamar nuestra fe. Estas son dos de las aclamaciones que rezamos:

Sálvador del mundo, sálvanos,
Tú que nos has liberado por tu cruz y
resurreción.

Anunciamos tu muerte,
proclamamos tu resurrección.
¡Ven, Señor Jesús!

Reza estas aclamaciones esta semana. Recuerda todo lo que Jesús ha hecho por nosotros con su muerte en la cruz y su resurrección.

Viviendo nuestra fe

En este capítulo aprendiste que cuando Jesús estaba muriendo en la cruz perdonó a los que lo crucificaron. Conversa con tu familia sobre la importancia del perdón. Si hay alguna persona que te ha ofendido o te ha tratado injustamente, perdónala hablando con esa persona o perdonándola en tu corazón. Pide perdón a cualquier persona a quien hayas ofendido.

Review

Write *True* or *False* next to the following sentences. On a separate piece of paper, change the false sentences to make them true.

1. ____________ Jesus and his disciples went to Egypt to celebrate the Feast of Passover.
2. ____________ Jesus gave himself to us in the Eucharist on the night before he died.
3. ____________ Most of Jesus' disciples stayed with Jesus as he died on the cross.
4. ____________ The women disciples shared the news about Jesus rising.

Discuss the following.

5. Why were Jesus and his disciples in Jerusalem during the week before he died?
6. Why did some powerful leaders have Jesus arrested and sentenced to death?
7. What did Jesus do for us through his Death and Resurrection?

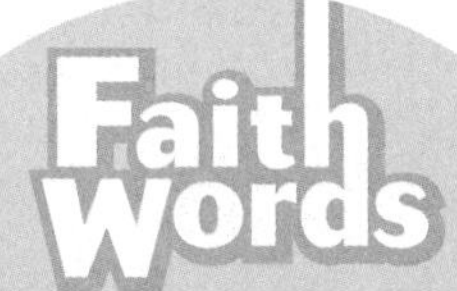

Last Supper (page 29)
Real Presence (page 29)
Resurrection (page 33)
Savior (page 33)

With My Family

Sharing Our Faith

1. **Jesus gave us the Eucharist at the Last Supper.**
2. **Jesus died on the cross to save us from sin.**
3. **Jesus rose from the dead and brought us new life.**

PRAYING TOGETHER

At Mass after the bread and wine are changed into the Body and Blood of Christ, the priest invites us to proclaim our faith. Here are two of the acclamations we pray:

Save us, Savior of the world,
for by your Cross and Resurrection
you have set us free.

We proclaim your Death, O Lord,
and profess your Resurrection
until you come again.

Pray these acclamations often during the week. Remember all that Jesus has done for us by his Death on the cross and his Resurrection.

Living Our Faith

In this chapter you learned that as Jesus was dying on the cross, he forgave those who crucified him. With your family talk about the importance of forgiveness. If there are people who have hurt you or treated you unfairly, forgive them by talking with them or by forgiving them in your heart. Ask forgiveness of any person whom you have hurt.

ALGO más que debes saber

REVELACION DIVINA Dios nos ama tanto que nos habla de sí mismo. El se reveló a sí mismo a nosotros. Revelar significa "darse a conocer". Revelación divina es Dios darse a conocer a sí mismo por medio de sus maravillosas obras y sus interacciones con su pueblo a través del tiempo.

Dios se dio a conocer gradualmente. La revelación empezó con la creación y los primeros seres humanos y sus descendientes. Continuó durante el tiempo de los antiguos israelitas y el pueblo judío. La revelación de Dios es completa y plena en su único Hijo, Jesucristo. La Iglesia es guiada por el Espíritu Santo para entender la revelación de Dios. La revelación de Dios es pasada por medio de la Biblia y la Tradición.

LA BIBLIA Y LA TRADICION La Biblia es también llamada Sagrada Escritura, es el récord escrito de la revelación de Dios. La Biblia tiene un autor divino, Dios, y muchos escritores humanos. El Espíritu Santo guió a esos escritores para escribirla. La guía especial que el Espíritu Santo dio a los escritores humanos es llamada *inspiración divina.* Esto garantizó que ellos escribieran sin error la verdad salvadora de Dios. Por esa razón, Dios es el verdadero autor de la Biblia.

La palabra biblia significa "libros". La Biblia está compuesta de setenta y tres libros. Está dividida en dos partes: el Antiguo Testamento y el Nuevo Testamento. La Biblia contiene la historia de la salvación.

El Antiguo Testamento contiene cuarenta y seis libros. En el Antiguo Testamento aprendemos sobre la relación de Dios con el pueblo de Israel.

El Nuevo Testamento contiene veinte y siete libros. En el Nuevo Testamento aprendemos sobre Jesucristo, sus primeros seguidores y el inicio de la Iglesia. Los cuatro evangelios del Nuevo Testamento contienen el mensaje y los eventos importantes en la vida de Jesucristo. Por eso, los evangelios ocupan un lugar destacado en el Nuevo Testamento.

Tradición es la revelación de la buena nueva de Jesucristo como es vivida en la Iglesia, en el pasado y en el presente. La Tradición incluye enseñanzas y prácticas pasadas oralmente desde los tiempos de Jesús y sus apóstoles. Incluye credos, afirmación y fe cristiana.

MORE for You to Know

DIVINE REVELATION God loves us so much that he told us about himself. He revealed himself to us. To *reveal* means "to make known." Divine Revelation is God's making himself known to us through his mighty deeds and by his interactions with his people throughout time.

God made himself known gradually over time. Revelation began with the creation of the first human beings and their descendants. It continued through the time of the ancient Israelites and the Jewish people. God's Revelation is full and complete in his only Son, Jesus Christ. The Church is guided by the Holy Spirit to understand God's Revelation. God's Revelation is handed down through the Bible and Tradition.

THE BIBLE AND TRADITION The Bible, also called Sacred Scripture, is the written record of God's Revelation. The Bible has a divine author, God, and many human writers. The Holy Spirit guided these writers as they wrote. The special guidance that the Holy Spirit gave to the human writers is called *Divine Inspiration*. It guaranteed that they wrote without any error God's saving truth. For that reason, God is the true author of the Bible.

The word *bible* means "books." The Bible is made up of seventy-three separate books. It is divided into two parts: the Old Testament and the New Testament. They contain Salvation history.

The Old Testament contains forty-six books. In the Old Testament we learn about God's relationship with the people of Israel.

The New Testament contains twenty-seven books. In the New Testament we learn about Jesus Christ, his first followers, and the beginning of the Church. The four Gospels of the New Testament contain the message and key events in the life of Jesus Christ. Because of this, the Gospels hold a central place in the New Testament.

Tradition is the Revelation of the Good News of Jesus Christ as lived out in the Church, past and present. Tradition includes teachings and practices handed on orally from the time of Jesus and his Apostles. It includes the creeds, or statements, of Christian beliefs.

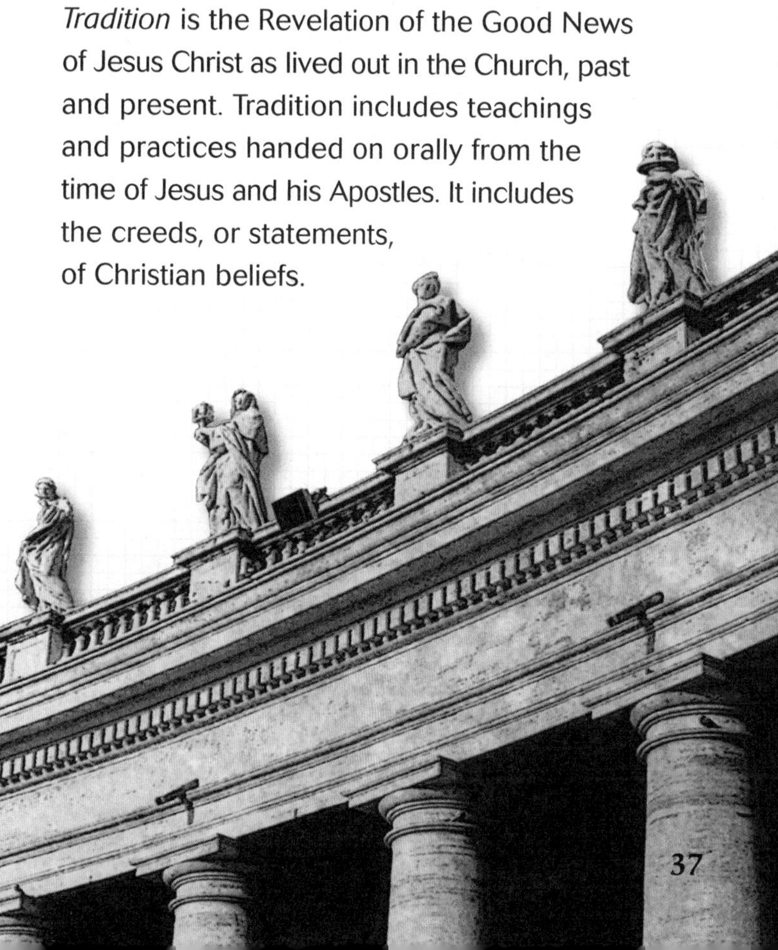

UNIDAD 1 Evaluación

Escribe *Verdadero* o *Falso* al lado de las siguientes oraciones. En una hoja de papel, cambia las oraciones falsas en verdaderas.

1. ________ Llamamos a la Biblia la palabra de Dios.

2. ________ La Santísima Trinidad es la verdad central de nuestra fe.

3. ________ Nadie estaba con Jesús cuando moría en la cruz.

4. ________ Todo ser humano nace con el pecado original.

5. ________ Los discípulos eran los doce hombres que Jesús escogió para compartir su misión de manera especial.

Organiza los siguientes eventos bíblicos en el orden en que pasaron. Usa números del 1–5.

6. Dios prometió enviar a un salvador. _____

7. En la última cena, Jesús nos dio el regalo de sí mismo en la Eucaristía. _____

8. Jesús compartió la buena nueva del amor de Dios. _____

9. Jesús fue crucificado, murió y resucitó. _____

10. Jesús, el Hijo único de Dios, se hizo hombre. _____

Escribe tu respuesta en una hoja de papel.

11. Nombra dos formas en que Jesús predicó la buena nueva del amor de Dios.

12. ¿Qué es el reino de Dios?

13. ¿Qué es la encarnación?

14. ¿Cuáles son las tres Personas de la Santísima Trinidad?

15. ¿Qué hizo Jesús por nosotros por medio de su muerte y resurrección?

UNIT 1 Assessment

Write *True* or *False* next to the following sentences. On a separate sheet of paper, change the false sentences to make them true.

1. ________ We call the Bible the Word of God.
2. ________ The Blessed Trinity is the central belief of our faith.
3. ________ No one stayed with Jesus as he died on the cross.
4. ________ Human beings are born with Original Sin.
5. ________ The disciples were the twelve men whom Jesus chose to share in his mission in a special way.

Put the following biblical events in the order in which they happened. Use numbers 1–5.

6. God promised to send a Savior. ____
7. At the Last Supper, Jesus gave us the gift of himself in the Eucharist. ____
8. Jesus shared the Good News of God's love. ____
9. Jesus was crucified, died, and rose from the dead. ____
10. Jesus, God's own Son, became man. ____

Write your responses on a separate sheet of paper.

11. Name two ways Jesus spread the Good News of God's love.
12. What is the Kingdom of God?
13. What is the Incarnation?
14. Who are the three Persons of the Blessed Trinity?
15. What did Jesus do for us through his Death and Resurrection?

El Espíritu Santo es enviado para ayudarnos

Un ayudante conocido

Después de comer, Carlos estaba haciendo su tarea. Su hermano mayor, Pedro, le preguntó: "Carlos, ¿qué tienes de tarea hoy?"

Carlos contestó: "Ahora estoy terminando mi tarea de composición. Estoy escribiendo sobre una persona a quien admiro y dando algunas razones de porque la admiro".

Pedro le preguntó: "¿Sobre quién estás escribiendo?"

"Sorpresa, dijo Carlos, sobre ti".

Pedro se asombró y dijo: "¡Sobre mí! ¿Por qué?"

Carlos explicó: "Tú haces muchas cosas por mí. Me ayudaste cuando papá nos dijo que nos mudábamos a Portsmouth. ¿Recuerdas lo triste que estaba? Tú también estabas triste, pero saliste a conversar conmigo. Me calmaste y me dijiste que pensara en la mudanza como una aventura. Me dijiste que tendríamos nuevos lugares para explorar y nuevos amigos".

"Carlos, no fue para tanto", dijo Pedro.

"Para mí lo fue", dijo Carlos. "Cuando nos mudamos me protegiste. La primera semana en la escuela fue muy difícil, pero me esperabas todos los días. Fuiste conmigo a la primera reunión de exploradores y me presentaste a los exploradores que ya conocías".

Pedro dijo: "Hice lo que creí que un hermano mayor debía hacer. Ahora vamos a ver lo que piensas de tu hermano mayor cuando te gane el juego de ajedrez. A propósito, el que pierda tiene que fregar los platos todas las noches esta semana".

¿Cómo Pedro ayudó a Carlos? ¿Quiénes ayudan a tu familia? ¿Cómo ayudan a su familia?

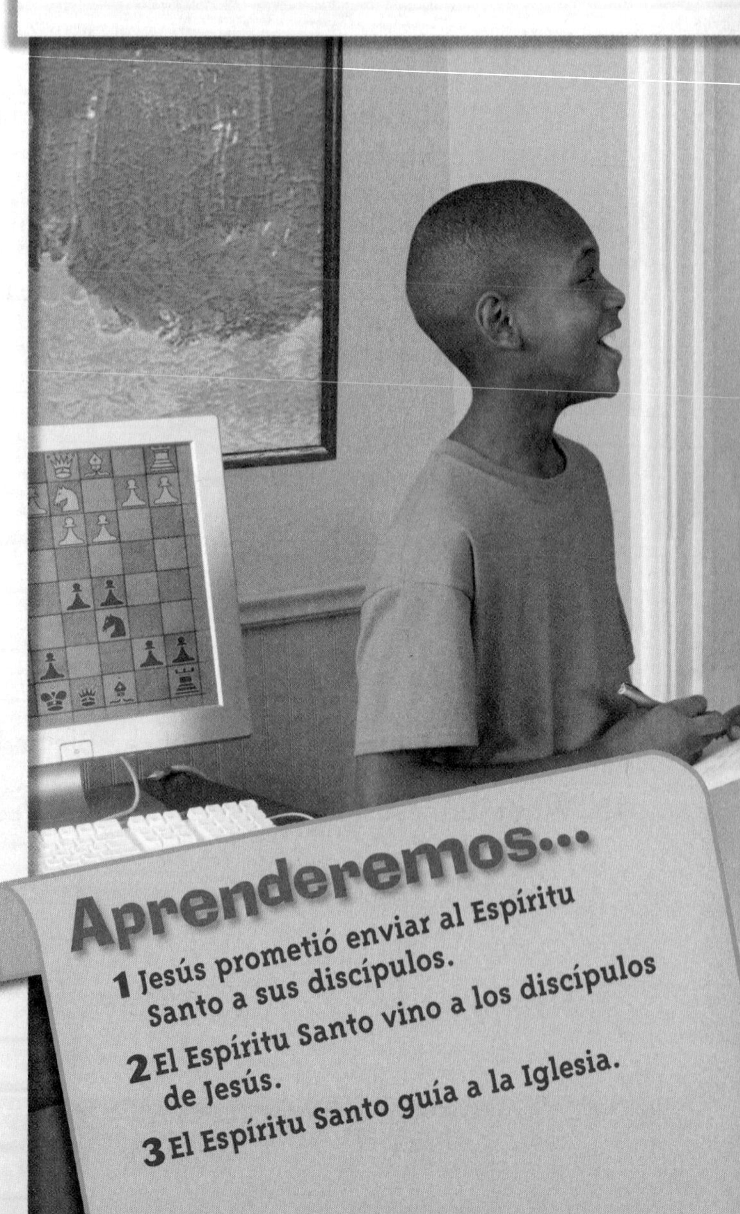

Aprenderemos...

1. Jesús prometió enviar al Espíritu Santo a sus discípulos.
2. El Espíritu Santo vino a los discípulos de Jesús.
3. El Espíritu Santo guía a la Iglesia.

The Holy Spirit Is Sent to Help Us

4

A Family Helper

After dinner Brian was doing his homework. His older brother Kevin asked him, "Brian, what do you have for homework tonight?"

Brian answered, "Right now I'm completing a writing assignment. I'm writing about a person I admire, and I'm giving a few reasons for my choice.

We Will Learn...

1 Jesus promised to send the Holy Spirit to his disciples.

2 The Holy Spirit came to Jesus' disciples.

3 The Holy Spirit guides the Church.

Kevin asked, "Who are you writing about?"

"Surprise, Kevin! I'm writing about you."

Kevin said, "Me? Why are you writing about me?"

Brian explained, "You do a lot for me, Kevin. You really came to the rescue when Dad told us we were moving to Springfield. Do you remember how upset I was? You were upset, too, but you came outside and talked to me. You helped calm me down, especially when you told me to think about moving as an adventure. You told me we'd have new places to explore and new friends to meet."

"That wasn't a big deal," Kevin said.

"It was to me," Brian said. "After we moved you watched out for me. That first week of school was hard, but you waited for me after school. You stayed with me at the first Nature Scout meeting, and you introduced me to some of the scouts you knew from school."

Kevin said, "I only did what I thought an older brother should do. Now let's see what you think about your older brother when I win a game of chess. Whoever loses helps with the dishes every night this week!"

How did Kevin help Brian? Who are your family helpers? How do they help your family?

1 Jesús prometió enviar al Espíritu Santo a sus discípulos.

Jesús sabía que después de completar su trabajo en la tierra, sus discípulos necesitarían ayuda para vivir como él les había enseñado. Jesús prometió que el Espíritu Santo vendría a ellos y los fortalecería. El Espíritu Santo ayudaría a los discípulos a recordar todo lo que Jesús les había enseñado.

Después que Jesús murió y resucitó, él reapareció a sus discípulos varias veces. Cuarenta días después de su resurrección, Jesús llamó a sus apóstoles a una montaña en Galilea. El les dijo que quería que continuaran su misión de llevar la buena nueva del amor de Dios al mundo. Jesús dijo: "Vayan y hagan discípulos a todos los pueblos y bautícenlos para consagrarlos al Padre, al Hijo y al Espíritu Santo, enseñándoles a poner por obra todo lo que les he mandado. Y sepan que yo estoy con ustedes todos los días hasta el final de los tiempos". (Mateo 28:19–20)

Después que Jesús dio esta misión a los apóstoles, regresó con su Padre en el cielo. El regreso de Jesús en toda su gloria a su padre en el cielo es llamado **ascensión**.

Después de la ascensión de Jesús, los apóstoles regresaron a Jerusalén. Ahí junto a otros discípulos rezaron mientras esperaban por el Espíritu Santo.

¿Por qué Jesús prometió a sus discípulos que el Espíritu Santo vendría a ellos?

¿Cuál fue la misión que Jesús dio a sus apóstoles?

1 Jesus promised to send the Holy Spirit to his disciples.

Jesus knew that after his work on earth was complete his disciples would need help in living as he had asked them to live. Jesus promised that the Holy Spirit would come to them and strengthen them. The Holy Spirit would help the disciples to remember all that Jesus had taught them.

After Jesus' Death and Resurrection, he appeared to his disciples several times. Then forty days after he rose from the dead, Jesus called his Apostles to a mountain in Galilee. He told them that he wanted them to continue his mission to bring the Good News of God's love to the world. Jesus said, "Go, therefore, and make disciples of all nations, baptizing them in the name of the Father, and of the Son, and of the holy Spirit, teaching them to observe all that I have commanded you. And behold, I am with you always, until the end of the age" (Matthew 28:19–20).

After Jesus gave this mission to the Apostles, he returned to his Father in Heaven. Jesus' return in all his glory to his Father in Heaven is called the **Ascension**.

After Jesus' Ascension, the Apostles returned to Jerusalem. There with the other disciples they prayed as they waited for the Holy Spirit to come to them.

Why did Jesus promise his disciples that the Holy Spirit would come to them?

What was the mission Jesus gave to his Apostles?

2 El Espíritu Santo vino a los discípulos de Jesús.

Temprano en la mañana del domingo, cincuenta días después que Jesús resucitó de la muerte, los discípulos de Jesús estaban reunidos en Jerusalén. Ellos estaban rezando y esperando por el Espíritu Santo. Entonces algo sorprendente pasó: "De repente vino del cielo un ruido, semejante a una ráfaga de viento impetuoso, y llenó toda la casa donde se encontraban. Entonces aparecieron lenguas como de fuego, que se repartían y se posaban sobre cada uno de ellos. Todos quedaron llenos del Espíritu Santo y comenzaron a hablar en lenguas extrañas, según el Espíritu los movía a expresarse". (Hechos 2:2–4)

Después de ese día, Pedro y los demás discípulos perdieron el miedo a hablar sobre Jesús y sus enseñanzas. Ellos dejaron la casa y salieron a las calles. Multitudes de personas estaban en Jerusalén para celebrar una gran fiesta judía. Pedro habló a la gente, diciéndoles que se bautizaran y recibieran el don del Espíritu Santo. "Los que aceptaron su palabra fueron bautizados y se les unieron aquel día unas tres mil personas". (Hechos 2:41)

El día en que el Espíritu Santo vino a los apóstoles es conocido como **Pentecostés**. Es el día en que la Iglesia empezó. La **Iglesia** es la comunidad de personas bautizadas en Jesucristo y que siguen sus enseñanzas. En Pentecostés y durante todo el año recordamos que el Espíritu Santo está siempre con la Iglesia.

¿Cómo el Espíritu Santo ayudó a Pedro y los discípulos en Pentecostés?

2 The Holy Spirit came to Jesus' disciples.

Early on Sunday morning, fifty days after Jesus rose from the dead, Jesus' disciples were together in Jerusalem. They were praying and waiting for the Holy Spirit. As they prayed, something amazing happened. "And suddenly there came from the sky a noise like a strong driving wind, and it filled the entire house in which they were. Then there appeared to them tongues as of fire, which parted and came to rest on each one of them. And they were all filled with the holy Spirit and began to speak in different tongues, as the Spirit enabled them to proclaim." (Acts of the Apostles 2:2–4)

On this day Peter and the disciples were no longer afraid to speak about Jesus and his teachings. They left the house and went out into the streets. Crowds of people were in Jerusalem to celebrate a great Jewish feast. Peter spoke to these people, telling them to be baptized and thus to receive the Gift of the Holy Spirit. "Those who accepted his message were baptized, and about three thousand persons were added that day." (Acts of the Apostles 2:41)

The day the Holy Spirit came upon Jesus' disciples is called **Pentecost**. It was on this day that the Church began. The **Church** is the community of people who are baptized and follow Jesus Christ. On Pentecost and throughout the whole year we remember that the Holy Spirit is with the Church always.

How did the Holy Spirit help Peter and the disciples on Pentecost?

El Espíritu Santo guía a la Iglesia.

Jesús escogió al apóstol Pedro para ser la cabeza de la Iglesia. En Pentecostés el Espíritu Santo llenó a Pedro y a los demás discípulos de Jesús de valor y amor. Con la ayuda del Espíritu Santo empezaron a compartir la buena nueva de Jesucristo con todo el mundo. Ellos mostraron a otros como vivir de acuerdo a las enseñanzas de Jesús:

- compartiendo lo que tenían con los pobres
- cuidando de los enfermos y necesitados
- reuniéndose para rezar
- celebrando la Eucaristía para recordar a Jesús
- celebrando la presencia del Cristo resucitado en medio de ellos.

Más y más personas pedían ser bautizadas. Ellas querían seguir a Jesús y ser parte de su comunidad, ser miembros de la Iglesia. El apóstol Pedro describe la Iglesia como el "pueblo de Dios" (1 Pedro 2:10)—el pueblo bautizado como hijos de Dios, hermanos y hermanas de Jesús.

Con la ayuda y guía del Espíritu Santo, la Iglesia se ha esparcido en el mundo. El Espíritu Santo ayuda a la Iglesia, el pueblo de Dios, a amar a Dios y a los demás. El Espíritu Santo ayuda a los miembros de la Iglesia a compartir la buena nueva de Jesucristo con todo el mundo. El Espíritu Santo sigue ayudando y guiando a la Iglesia hoy a interpretar la Escritura y en la enseñanza oficial de la Iglesia, que llamamos Tradición. Por medio de la Tradición la Iglesia nos enseña a rezar.

¿Cómo ayudó el Espíritu Santo a los primeros cristianos?

¿Sabías?

Los primeros cristianos necesitaban entender la relación especial que Jesucristo tenía con su comunidad, la Iglesia. San Pablo, uno de los primeros cristianos quien viajó por diferentes países compartiendo la buena nueva de Jesucristo, explicó que la Iglesia es el cuerpo de Cristo (1 Corintios 12:27). Cristo es la cabeza (Colosenses 1:18), pero todos en la Iglesia son parte importante del cuerpo de Cristo.

Cada miembro de la Iglesia recibe al Espíritu Santo cuando es bautizado. San Pablo también enseñó que la Iglesia es el Templo del Espíritu Santo (1 Corintios 3:16). Así que el Espíritu Santo está en el centro de la vida y crecimiento de la Iglesia, uniéndonos por el amor y la fe en Jesucristo.

The Holy Spirit guides the Church.

Jesus had chosen the Apostle Peter as the head of the Church. On Pentecost, the Holy Spirit filled Peter and the other disciples of Jesus with courage and love. With the help of the Holy Spirit, they began to share the Good News of Jesus Christ with everyone they met. They showed others how to live according to the teachings of Jesus by:

- sharing what they had with the poor
- taking care of those who were sick or disabled
- gathering together to pray
- celebrating the Eucharist in Jesus' memory
- celebrating the presence of the risen Christ among them.

More and more people asked to be baptized. They wanted to follow Jesus and to be part of his community—to be members of the Church. The Apostle Peter described the Church as "God's people" (1 Peter 2:10) —the people baptized as God's children, brothers and sisters of Jesus.

With the guidance of the Holy Spirit, the Church spread throughout the world. The Holy Spirit helped the Church, the People of God, to love God and one another. The Holy Spirit helped the members of the Church to share the Good News of Jesus Christ with everyone in the world. And the Holy Spirit continues to help and guide the Church today in the interpretation of Sacred Scripture and in the official teachings of the Church, which we call Tradition. Through Tradition the Holy Spirit teaches us to pray.

How did the Holy Spirit help the early Christians?

Do You Know?

The early Christians needed to understand the special relationship Jesus Christ had with his community, the Church. Saint Paul, an early Christian who traveled to different countries sharing the Good News of Jesus Christ, explained that the Church is the Body of Christ (1 Corinthians 12:27). Christ is the Head (Colossians 1:18), but everyone in the Church is an important part of the Body of Christ.

Each member of the Church receives the Holy Spirit at Baptism. Saint Paul also taught that the Church is the Temple of the Holy Spirit (1 Corinthians 3:16). So the Holy Spirit is at the heart of the Church's life and growth, uniting us through our love for and belief in Jesus Christ.

Repaso

Completa las siguientes oraciones.

1–2. La ascensión es

____

____

____

____

3–4. La Iglesia es

____

____

____

____

Conversen sobre lo siguiente:

5. Antes de regresar al cielo ¿qué pidió Jesús a sus discípulos hacer?
6. Describan brevemente lo que pasó en Pentecostés.
7. ¿Cómo compartían los primeros cristianos su amor por Dios y por los demás?

ascensión (p. 42)
Pentecostés (p. 44)
Iglesia (p. 44)

Con mi familia

Compartiendo nuestra fe

1. **Jesús prometió enviar al Espíritu Santo a sus discípulos.**
2. **El Espíritu Santo vino a los discípulos de Jesús.**
3. **El Espíritu Santo guía a la Iglesia.**

REZANDO JUNTOS

Esta es una oración tradicional de la Iglesia al Espíritu Santo.

Ven Espíritu Santo,
llena los corazones de tus fieles
y enciende en ellos el fuego de tu Amor.

Envía tu Espíritu, Señor, y serán creados.
Y renovarás la faz de la tierra.

Viviendo nuestra fe

El Espíritu Santo ayudó a los apóstoles y a los primeros cristianos a compartir el amor de Dios con otros. La forma en que los seguidores de Jesús vivieron ayudó a otros a experimentar el poder de su amor. Esta semana piensa sobre la persona que te ayudó a experimentar el poder del amor de Jesús. Decide una forma en que darás las gracias a esa persona.

Nombre	Forma en que agradecerás

Review

Complete the following sentences.

1–2. The Ascension is

____

____

____

____

3–4. The Church is

____

____

____

____

Discuss the following.

5. Before he returned to Heaven, what did Jesus ask his disciples to do?

6. Describe briefly what happened on Pentecost.

7. How did the early Christians share their love for God and one another?

Ascension (page 43)
Pentecost (page 45)
Church (page 45)

With My Family

Sharing Our Faith

1 Jesus promised to send the Holy Spirit to his disciples.

2 The Holy Spirit came to Jesus' disciples.

3 The Holy Spirit guides the Church.

PRAYING TOGETHER

This prayer to the Holy Spirit is a traditional prayer of the Church.

Come, Holy Spirit, fill the hearts
of your faithful.
And kindle in them the fire
of your love.

Send forth your Spirit and they
shall be created.
And you will renew the face
of the earth. Amen.

Living Our Faith

The Holy Spirit helped the Apostles and the early Christians to share God's love with others. The way in which Jesus' followers lived helped others to experience the power of his love. This week think about the people who help you experience the power of Jesus' love. Decide on one way to thank each person.

Name	Way of Thanks

5 La Iglesia Católica continúa la misión de Cristo

Imagina que un animador de programa está entrevistándote. Escribe tu respuesta a cada una de las siguientes preguntas en las líneas.

Conversa sobre tus repuestas con amigos y familiares.

¿Por qué los líderes son necesarios?

____

____

¿Cuáles son algunas palabras que describen a un buen líder?

____

____

¿Cómo puedes desarrollar buenas destrezas de liderazgo?

____

____

Aprenderemos...

1 El papa y los obispos son los sucesores de los apóstoles.
2 La Iglesia es una, santa, católica y apostólica.
3 Los católicos adoran y sirven juntos.

The Catholic Church Continues Christ's Mission

5

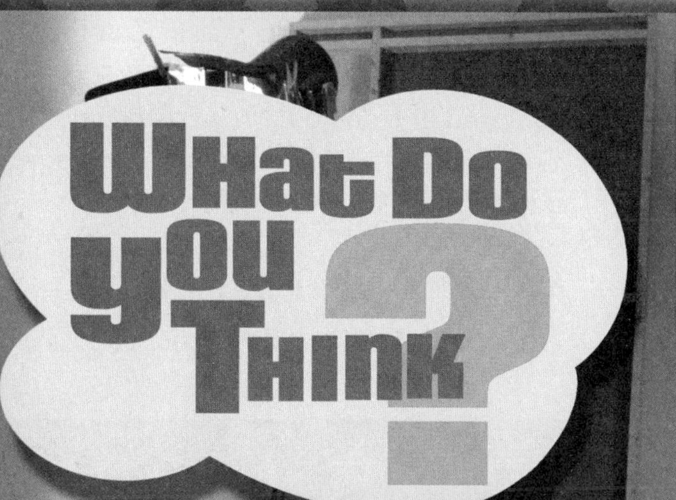

Imagine that talk-show hosts are interviewing you. Write your response to each of the following questions on the lines provided.

Discuss these questions with family members and friends.

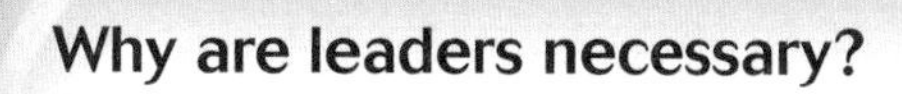

Why are leaders necessary?

____

____

Who are some good leaders you know?

____

____

How can you develop good leadership skills?

____

____

We Will Learn...

1 The pope and bishops are the successors of the Apostles.

2 The Church is one, holy, catholic, and apostolic.

3 Catholics worship and serve together.

1 El papa y los obispos son los sucesores de los apóstoles.

Después de la venida del Espíritu Santo en Pentecostés, los apóstoles viajaron de lugar en lugar enseñando lo que Jesús les había enseñado. En cada comunidad los apóstoles bautizaban como Jesús les había pedido. Los miembros de esas comunidades miraban a Pedro y a los demás apóstoles como sus líderes.

Los apóstoles eventualmente escogieron líderes locales para servir a esas comunidades. Los apóstoles imponían sus manos en las cabezas de los escogidos y le pedían al Espíritu Santo que los fortaleciera y guiara en su trabajo. En esta forma los apóstoles pasaron lo que Cristo les había dado: la autoridad de continuar su misión.

Con el paso del tiempo, los líderes que sucedieron a los apóstoles fueron llamados *obispos*. Los **obispos** son los sucesores de los apóstoles y continúan dirigiendo la Iglesia. Cada área local de la Iglesia es llamada **diócesis** y es dirigida por un obispo.

El **papa** es el obispo de la diócesis de Roma, Italia. El continúa el liderazgo del apóstol Pedro con la responsabilidad dada por Dios de cuidar de las almas de todos los miembros de la Iglesia. Juntos con los obispos, el papa dirige y guía a toda la Iglesia Católica. Bajo el liderazgo del papa y los obispos, la Iglesia continúa el trabajo de Jesucristo cada día. Cada uno de nosotros está unido al papa y a los obispos al vivir nuestra fe.

¿Quién es nuestro papa actual?

¿Quién es el obispo de tu diócesis?

¿Sabías?

Los obispos continúan la misión de los apóstoles en estas tres formas:

- *Enseñan.* Los obispos son los encargados de enseñar a la Iglesia. Ellos ayudan a los miembros de la Iglesia a conocer, entender y vivir las enseñanzas de Jesucristo.
- *Dirigen.* Los obispos son los líderes y pastores de la Iglesia. Ellos dirigen al pueblo y supervisan el trabajo de sus diócesis.
- *Santifican.* La palabra santificar significa "hacer santo". Por medio de sus oraciones, prédicas y celebración de los sacramentos, los obispos ayudan a todos los miembros de la Iglesia a vivir vidas cristianas y a crecer en santidad.

1 The pope and bishops are the successors of the Apostles.

After the coming of the Holy Spirit on Pentecost, the Apostles traveled from place to place teaching what Jesus had taught them. In each local community the Apostles baptized people as Jesus had commanded them. The members of these communities looked to Peter and the other Apostles as their leaders.

The Apostles eventually chose local leaders to serve these communities. The Apostles laid their hands on the heads of those they had chosen and asked the Holy Spirit to strengthen and guide these new leaders in their work. In this way the Apostles handed on what Christ had given to them: the authority to carry on his mission.

As time passed, the leaders who succeeded, or took the place of, the Apostles were called *bishops*. **Bishops** are the successors of the Apostles and continue to lead the Church. Each local area of the Church is called a **diocese** and is led by a bishop.

The **pope** is the bishop of the diocese of Rome, Italy. He continues the leadership of the Apostle Peter, having a God-given responsibility to care for the souls of all members of the Church. Together with all the bishops, the pope leads and guides the whole Catholic Church. Under the leadership of the pope and bishops, the Church continues the work of Jesus Christ each and every day. Each of us is united with the pope and bishops in living out our faith.

Who is our present pope?

Who is the bishop of your diocese?

Do You Know?

The bishops continue the mission of the Apostles in three important ways:

- They *teach*. The bishops are the chief teachers of the Church. They help the members of the Church know, understand, and live out the teachings of Jesus Christ.
- They *lead*. The bishops are the chief leaders and pastors of the Church. They lead their people and oversee the work of their dioceses.
- They *sanctify*. The word sanctify means "to make holy." Through their prayer, preaching, and celebration of the sacraments, the bishops help all the members of the Church to live Christian lives and to grow in holiness.

2 La Iglesia es una, santa, católica y apostólica.

En la Iglesia Católica, la Iglesia de Cristo está verdaderamente presente a pesar de que hay elementos de bondad y verdad que pueden encontrarse fuera de ella. La Iglesia Católica tiene cuatro cualidades especiales o características. La Iglesia es una, santa, católica y apostólica. Estos cuatro rasgos que describen la Iglesia son llamados **características de la iglesia**.

La Iglesia es *una*. La Iglesia es una porque todos sus miembros creen en un solo Señor, Jesucristo. Compartimos el mismo Bautismo y somos guiados y unidos por el Espíritu Santo. Bajo el liderazgo del papa y los obispos, nos reunimos a celebrar los sacramentos y a vivir y trabajar juntos como una comunidad unida por Dios.

La Iglesia es *santa*. Sólo Dios es todo bondad y santidad. Pero él compartió su santidad con todos al enviarnos a su Hijo, Jesucristo. Como miembros de la Iglesia, bautizados en el cuerpo de Cristo, compartimos, por el don del Espiritu Santo, la vida de Dios que nos hace santos. Como miembros de la Iglesia crecemos en santidad, especialmente por medio de la oración, las buenas obras y la celebración de los sacramentos.

La Iglesia es *católica*. La palabra *católica* significa "universal". La Iglesia es universal, o abierta a todo el mundo, porque todos son invitados y bienvenidos a pertenecer a la Iglesia. Todas las personas son invitadas a seguir a Jesucristo. Hoy hay católicos en todos los continentes y en todos los países del mundo.

La Iglesia es *apostólica*. Esto quiere decir que seguimos la fe de los apóstoles y continúa siendo guiada por sus sucesores, los obispos. La Iglesia es apostólica hoy porque la vida y el liderazgo de la Iglesia se basan en la misión que Jesús dio a los apóstoles. Como bautizados católicos, discípulos de Jesús, también nosotros compartimos el trabajo de predicar la buena nueva de Jesucristo a todo el mundo.

Con tus propias palabras describe lo que significa cada una de las características de la Iglesia.

2 The Church is one, holy, catholic, and apostolic.

In the Catholic Church, the Church of Christ is truly present although elements of goodness and truth can be found outside of her. The Catholic Church has four very special qualities or characteristics. The Church is one, holy, catholic, and apostolic. These four characteristics that describe the Church are called the **Marks of the Church**.

The Church is *one*. The Church is one because all of her members believe in the one Lord, Jesus Christ. We share the same Baptism and are guided and united by the Holy Spirit. Under the leadership of the pope and bishops, we gather together to celebrate the sacraments and to live and work together as one community called together by God.

The Church is *holy*. God alone is all good and holy. But he shared his holiness with all people by sending his Son, Jesus Christ to us. As members of the Church, baptized into the Body of Christ, we, too, through the power of the Holy Spirit, share in God's life which makes us holy. As members of the Church we grow in holiness, especially through prayer, good works, and the celebration of the sacraments.

The Church is *catholic*. The word *catholic* means "universal." The Church is universal, or open to all people, since everyone is invited and welcomed to become members of the Church. All people are invited to be followers of Jesus Christ. Today there are Catholics on every continent and in every country of the world.

The Church is *apostolic*. This means that the Church was built on the faith of the Apostles and continues to be guided by their successors, the bishops. The Church is apostolic today because the life and leadership of the Church is based on that of the Apostles' mission which was given to them by Jesus. As baptized Catholics, disciples of Jesus, we, too, share in the work of spreading the Good News of Jesus Christ to all the world.

In your own words describe what each of the Marks of the Church means.

3 Los católicos adoran y sirven juntos.

Una **parroquia** es una comunidad de creyentes. Está compuesta de católicos que usualmente viven en el mismo pueblo o vecindario. Una parroquia es parte de una diócesis. Los miembros de una parroquia se reúnen en nombre de Jesús para adorar a Dios y compartir unos con otros.

Los feligreses se reúnen en una parroquia para:

- Celebrar la misa y otros sacramentos
- Rezar y crecer en la fe
- Compartir lo que tienen—dinero, tiempo, talentos—con los demás
- Cuidar de los necesitados—los enfermos, los pobres, los que tienen hambre.

Los **sacerdotes** trabajan en las parroquias de las diócesis. Ellos predican el evangelio y sirven a los fieles, especialmente celebrando la Eucaristía y los demás sacramentos. Los sacerdotes son hombres bautizados que han sido ordenados mediante el sacramento del Orden. Los sacerdotes trabajan con el obispo de su diócesis.

Un **párroco** es el sacerdote que dirige a una parroquia en adoración, oración, enseñanza y servicio. Su trabajo principal es dirigir a la parroquia en la celebración de la misa. Una parroquia puede tener otros sacerdotes que trabajan junto al párroco.

Algunas veces las parroquias tienen un diácono. Un **diácono** es un hombre bautizado que ha sido ordenado para servir a la Iglesia predicando, bautizando, siendo testigo de matrimonios y haciendo obras de caridad. Cumple con sus responsabilidades bajo la autoridad del obispo en cooperación con el obispo y sus sacerdotes.

En muchas parroquias, laicos, hombres y mujeres no ordenados, sirven en varias formas. Los ministros eclesiales laicos son personas que sirven en posiciones de liderazgo reconocidas y asignadas por la Iglesia.

Es importante recordar que cada persona tiene un papel importante en la parroquia.

¿Cómo participarás en la comunidad parroquial esta semana?

3 Catholics worship and serve together.

A **parish** is a community of believers. It is made up of Catholics who usually live in the same town or neighborhood. A parish is part of a diocese. Members of a parish gather together in Jesus' name to worship God and to share with one another.

In parishes, members gather together to:

- celebrate Mass and the other sacraments
- pray and grow in their faith
- share what they have—money, time, talents—with one another
- care for people in need—those who are sick, poor, or hungry.

Priests work in the parishes of a diocese. They preach the Gospel and serve the faithful, especially by celebrating the Eucharist and the other sacraments. Priests are baptized men who have been ordained to this ministry in the Sacrament of Holy Orders. Priests work with the Bishop of the Diocese.

A **pastor** is the priest who leads the parish in worship, prayer, teaching, and service. His most important work is to lead the parish in the celebration of Mass. A parish might also have other priests who work with the pastor.

Sometimes a parish has a deacon. A **deacon** is a baptized man who in the Sacrament of Holy Orders has been ordained to serve the Church by preaching, baptizing, performing marriages, and doing acts of charity. He carries on his responsibilities under the authority of the bishop and in cooperation with the bishop and his priests.

In many parishes lay people, men and women who are not ordained, serve in various roles. Lay ecclesial ministers are lay people who serve in leadership positions and are recognized by the Church.

It is important to remember that each person is an important part of the parish.

How will you participate in the parish community this week?

Repaso

Escribe *verdadero* o *falso* al lado de las siguientes oraciones. Cambia la oración falsa en verdadera.

1. ____________ La palabra *católica* significa "fundada en los apóstoles".

2. ____________ El papa continúa el liderazgo del apóstol Pedro.

3. ____________ A los sucesores de los apóstoles se les dio el título de *diácono*.

4. ____________ La Iglesia Católica está abierta sólo a un número especial de personas.

Conversen sobre lo siguiente:

5. ____________ ¿Cómo dieron los apóstoles a sus sucesores la autoridad que Jesús les había dado?

6. ____________ Nombra las cuatro características de la Iglesia y descríbelas brevemente.

7. ____________ ¿Cuáles son las razones por la que los miembros de la parroquia se reúnen?

Vocabulario

obispos (p. 52)
diócesis (p. 52)
papa (p. 52)
características de la Iglesia (p. 54)
parroquia (p. 56)
sacerdotes (p. 56)
párroco (p. 56)
diácono (p. 56

Con mi familia

Compartiendo nuestra fe

1. **El papa y los obispos son los sucesores de los apóstoles.**
2. **La Iglesia es una, santa, católica y apostólica.**
3. **Los católicos adoran y sirven juntos.**

REZANDO JUNTOS

Mientras rezas el salmo 117, piensa en todos los miembros de la Iglesia que viven en todos los países del mundo.

"¡Alaben al Señor todas las naciones,
aclámenlo todos los pueblos!
Grande es su amor por nosotros,
y la fidelidad del Señor dura por siempre.
¡Aleluya!"

Salmo 117:1–2

Viviendo nuestra fe

Esta semana piensa sobre las formas en que puedes participar en tu parroquia. Decide una o dos formas en que participarás. Escríbelas abajo.

____

____

Recuerda que es importante rezar por los miembros de la parroquia, especialmente los necesitados. Completa la siguiente oración.

Jesús, bendice a los miembros de nuestra parroquia,

____

Review

Write *True* or *False* next to the following sentences. On a separate piece of paper, change the false sentences to make them true.

1. ____________ The word *catholic* means "founded on the Apostles."
2. ____________ The pope continues the leadership of the Apostle Peter.
3. ____________ The successors of the Apostles were given the title *deacon*.
4. ____________ The Catholic Church is only open to a certain number of people.

Discuss the following.

5. How did the Apostles give their successors the authority Jesus had given to them?
6. Name the four Marks of the Church and briefly describe each one.
7. For what reasons do parish members come together?

bishops (page 53)
diocese (page 53)
pope (page 53)
Marks of the Church (page 55)
parish (page 57)
priests (page 57)
pastor (page 57)
deacon (page 57)

With My Family

Sharing Our Faith

1. **The pope and bishops are the successors of the Apostles.**
2. **The Church is one, holy, catholic, and apostolic.**
3. **Catholics worship and serve together.**

PRAYING TOGETHER

As you pray Psalm 117, think about all the members of the Church who live in every country of the world.

"Praise the LORD, all you nations!
Give glory, all you peoples!
The LORD's love for us is strong;
the LORD is faithful forever.
Hallelujah!"

(Psalm 117:1–2)

Living Our Faith

This week think about ways you can participate in your parish. Decide on one or two ways that you will actually participate. Write these ways below.

____

____

Remember that one important way to participate in your parish is to pray for parish members, especially the people in need. Complete the following prayer.

Jesus, bless the members of our parish.

____

6 La Iglesia celebra siete sacramentos

DIFERENTES SIGNOS

Un signo es una señal que representa algo. Un signo puede ser algo que vemos, por ejemplo, una señal de pare. Puede ser algo que hacemos, por ejemplo estrechar las manos como signo de amistad. Un evento o una persona pueden ser un signo. Por ejemplo, un policía uniformado puede ser signo de autoridad y un desfile puede ser señal de día de fiesta.

Escoge una de las siguientes palabras o frases para completar el pie para cada foto.

fortaleza **respeto** **primavera**

peligro adelante **celebración**

guía **amor**

Flores naciendo puede ser signo de

____

Una roca puede ser signo de

____

Abrazar a alguien puede ser signo de

____

Aprenderemos...

1. Jesús es el signo más importante del amor de Dios.
2. La Iglesia celebra siete signos especiales, los sacramentos.
3. Los sacramentos nos unen como cuerpo de Cristo.

The Church Celebrates Seven Sacraments

6

DIFFERENT SIGNS

A sign stands for or tells us about something. A sign can be something that we see, such as a stop sign. A sign can be something that we do, such as shaking hands as a sign of friendship. An event or a person can also be a sign. For example, a police officer in a uniform can be a sign of authority, and a parade can be a sign of a holiday.

Choose one of the following words or phrases to complete the caption for each picture.

strength **achievement** **spring**

danger ahead

a celebration **guidance** **love**

A light from a lighthouse can be a sign of

____

A blaring whistle can be a sign of

____

A piñata can be a sign of

____

We Will Learn...

1 Jesus is the greatest sign of God's love.

2 The Church celebrates seven special signs, the sacraments.

3 The sacraments unite us as the Body of Christ.

1 Jesús es el signo más importante del amor de Dios.

Jesucristo es el Hijo de Dios. Todo lo que Jesús dijo e hizo nos habla del amor de Dios por nosotros. Todas las palabras y obras de Jesús son señales del amor de Dios. En los evangelios leemos sobre esas palabras y obras. Leemos sobre:

- formas en que Jesús abrió sus brazos para acoger a todos
- formas en que Jesús pasó tiempo con las personas abandonadas y desamparadas
- formas en que Jesús dio de comer a los hambrientos
- formas en que Jesús curó a los enfermos física y espiritualmente
- formas en que Jesús consoló a los pecadores y les perdonó sus pecados
- como Jesús dio su vida para salvarnos del pecado.

Por todas estas razones Jesús es la señal más grande del amor de su Padre.

Jesús sabía que sus discípulos necesitarían que él estuviera siempre con ellos. Pero tenía que dejarnos y regresar con su Padre en el cielo. Así que Jesús les prometió que siempre estaría con ellos por medio del poder del Espíritu Santo.

¿En qué forma Jesús mostró al pueblo el amor de Dios por ellos?

1 Jesus is the greatest sign of God's love.

Jesus Christ is the Son of God. Everything that Jesus said or did pointed to God's love for us. So all of Jesus' words and actions are signs of God's love. In the Gospels we read about these words and actions. We read about:

- ways that Jesus opened his arms and welcomed all
- ways that Jesus spent time with people whom others disliked or neglected
- ways that Jesus fed those who were hungry
- ways that Jesus touched people and healed them both physically and spiritually
- ways that Jesus comforted sinners and forgave their sins
- the way that Jesus gave his life to save us all from sin.

For all of these reasons Jesus is the greatest sign of his Father's love.

Jesus knew that his disciples needed him to be present with them. Yet he would have to leave them and return to his Father in Heaven. So Jesus promised them that he would always be with them through the power of the Holy Spirit.

In what ways did Jesus show people God's love for them?

2 La Iglesia celebra siete signos especiales, los sacramentos.

A través de los tiempos la Iglesia Católica reconoció ciertas acciones simbólicas como signos del Cristo resucitado, hecho presente en la comunidad por medio del poder del Espíritu Santo. Eventualmente la Iglesia llamó sacramentos a siete de esas señales que recibía de Jesucristo. Esos siete sacramentos son Bautismo, Confirmación, Eucaristía, Penitencia y Reconciliación, Unción de los Enfermos, Orden Sagrado y Matrimonio.

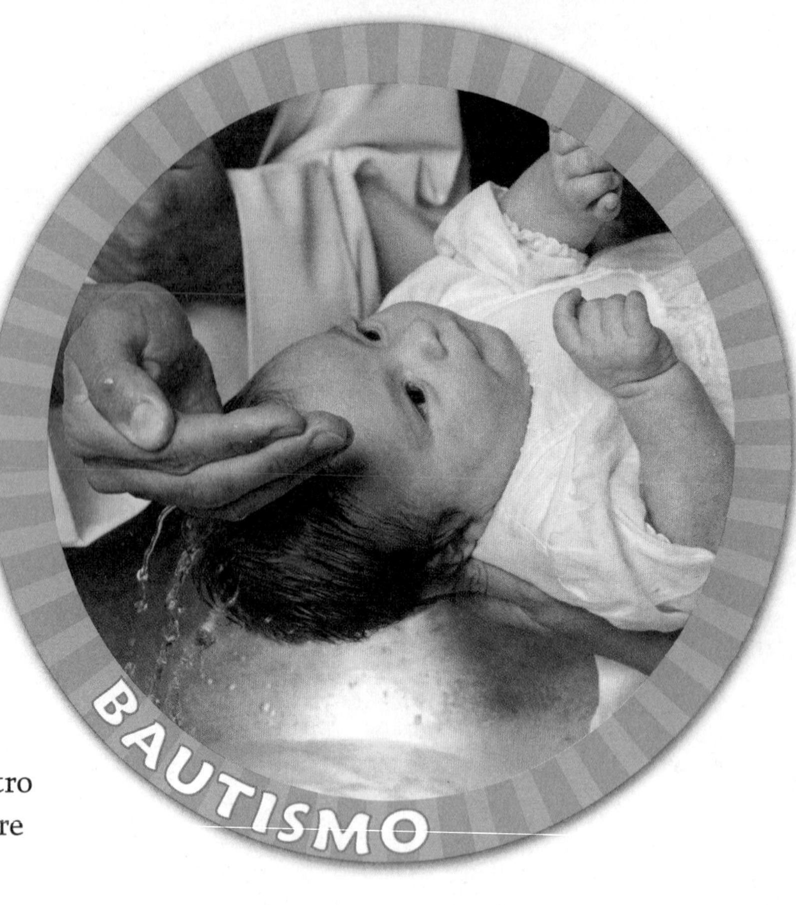

Los siete sacramentos son signos de la presencia de Dios en nuestras vidas. Los sacramentos son diferentes a cualquier otro signo. Ellos son signos efectivos, que quiere decir que verdaderamente ofrecen lo que representan. Por ejemplo, en el Bautismo no sólo celebramos ser hijos de Dios, sino que realmente nos hacemos hijos de Dios. En la Penitencia y Reconciliación no sólo celebramos el perdón de Dios sino que realmente somos perdonados por Dios.

Es por eso que decimos que un **sacramento** es un signo efectivo dado por Jesucristo por medio del cual compartimos la vida de Dios. Este don de la vida de Dios en nosotros es la **gracia**. Recibimos la gracia del Espíritu Santo en cada sacramento. Esta gracia, llamada *gracia santificante*, perdona nuestros pecados y aumenta nuestra santidad. Al crecer la bondad y la santidad dentro de nosotros, nos acercamos más a Jesús. La gracia nos fortalece para vivir como Jesús nos pide.

¿Cómo nos ayuda la gracia que recibimos en los sacramentos?

¿Sabías?

Dios nos ofrece libremente su gracia en los sacramentos. Por medio de la gracia que recibimos en los sacramentos, respondemos a la presencia de Dios en nuestras vidas. Mostramos que estamos abiertos a esa gracia participando plenamente en la celebración de cada sacramento y haciendo un compromiso para vivir como discípulo de Jesús.

2 The Church celebrates seven special signs, the sacraments.

Over time, the Catholic Church recognized certain symbolic actions as signs of the risen Christ made present in the community through the power of the Holy Spirit. Eventually the Church named seven of these actions or signs it had received from Jesus Christ as the Seven Sacraments. These Seven Sacraments are Baptism, Confirmation, Eucharist, Penance and Reconciliation, Anointing of the Sick, Holy Orders, and Matrimony.

All Seven Sacraments are signs of God's presence in our lives. But sacraments are different from all other signs. They are effective signs which means that they truly bring about what they represent. For example, in Baptism we not only celebrate being children of God, we actually become children of God. In Penance and Reconciliation we not only celebrate that God forgives, we actually receive God's forgiveness.

This is why we say that a **sacrament** is an effective sign given to us by Jesus Christ through which we share in God's life. This gift of God's life in us is **grace**. Through the Holy Spirit we receive grace in each sacrament. This grace, called *sanctifying grace*, heals us of sin and helps us to grow in holiness. As God's goodness and holiness grows within us, we become more like Jesus. Grace strengthens us to live as Jesus called us to live.

How does the grace we receive in the sacraments help us?

Do You Know?

God freely offers his grace to us in the sacraments. Through the grace we receive in the sacraments, we respond to the presence of God in our lives. We show that we are open to this grace by fully participating in the celebration of each sacrament and by making a commitment to live as disciples of Jesus.

3 Los sacramentos nos unen como cuerpo de Cristo.

Durante la celebración de los sacramentos, Cristo se une a la Iglesia de manera especial. La Iglesia, el cuerpo de Cristo, celebra cada sacramento. El sacerdote y otros miembros de la Iglesia que participan en los sacramentos representan a toda la Iglesia. Los sacramentos unen a todos los católicos en todo el mundo con Jesús y unos a otros.

Los sacramentos se agrupan en tres: Sacramentos de iniciación cristiana, sacramentos de sanación y sacramentos de servicio a la comunión.

- Los sacramentos de iniciación cristiana son Bautismo, Confirmación y Eucaristía. Por medio de estos sacramentos somos iniciados en la Iglesia, fortalecidos y alimentados.
- Lo sacramentos de sanación son Penitencia y Reconciliación y Unción de los Enfermos. Por medio de ellos experimentamos el perdón, la paz y la sanación de Dios.
- Los sacramentos de servicio a la comunión son Orden Sagrado y Matrimonio. En el Orden Sagrado un hombre bautizado es consagrado y en el Matrimonio un hombre y una mujer son bendecidos para servir a Dios y a la Iglesia al vivir su vocación.

Es por medio de la gracia que recibimos en los sacramentos que podemos responder a la presencia de Dios en nuestras vidas.

¿Qué sacramentos has celebrado?

3 The sacraments unite us as the Body of Christ.

During the celebration of the sacraments, Christ is joined in a special way with the Church. The Church, the whole Body of Christ, celebrates each sacrament. The priest and other members of the Church who participate in the sacraments represent the whole Church. The sacraments unite Catholics all over the world with Jesus and with one another.

There are three groups of sacraments: Sacraments of Christian Initiation, Sacraments of Healing, and Sacraments at the Service of Communion.

- The Sacraments of Christian Initiation are Baptism, Confirmation, and the Eucharist. Through these sacraments we are born into the Church, strengthened, and nourished.
- The Sacraments of Healing are Penance and Reconciliation, and Anointing of the Sick. Through them we experience God's forgiveness, peace, and healing.
- The Sacraments at the Service of Communion are Holy Orders and Matrimony. In Holy Orders a baptized man is consecrated and in Matrimony a man and woman are blessed to serve God and the Church through a particular vocation.

It is through the grace that we receive in the sacraments that we are able to respond to the presence of God in our lives.

What sacraments have you received?

Repaso

Escoge la frase que completa la oración:

iniciación cristiana	signos efectivos
vida en Dios	Espíritu Santo

1. Los sacramentos son

   ____

   dados por Jesús por medio de los cuales compartimos en la vida de Dios.

2. Por medio de los sacramentos de

   ____

   nos hacemos miembros de la Iglesia, somos fortalecidos y alimentados.

3. La gracia es compartir en la

   ______________________.

4. La presencia de Jesús sigue en la vida de sus discípulos por medio del poder

   del ______________________.

Conversen sobre lo siguiente:

5. ¿Por qué Jesús es el signo más importante del amor de Dios?
6. ¿En qué se diferencian los siete sacramentos de otros signos?
7. ¿Cuáles son los tres grupos de sacramentos?

sacramento (p. 64)

gracia (p. 64)

Con mi familia

Compartiendo nuestra fe

1. **Jesús es el signo más importante del amor de Dios.**
2. **La Iglesia celebra siete signos especiales, los sacramentos.**
3. **Los sacramentos nos unen como cuerpo de Cristo.**

REZANDO  JUNTOS

Reza la siguiente oración por los feligreses de tu parroquia que se están preparando para recibir los sacramentos:

Dios Padre, diste a tu único Hijo, quien es el signo más importante de tu amor. Quédate con las personas de nuestra parroquia que se están preparando para celebrar los sacramentos.
Jesús, ayúdalos a recordar que estás presente en ellos cuando celebren los sacramentos.
Espíritu Santo, ayuda a cada persona a estar abierta a la gracia que recibirá en el sacramento.
Te lo pedimos por Cristo, nuestro Señor. Amén.

Viviendo nuestra fe

En este capítulo aprendiste sobre los siete sacramentos. Toma tiempo esta semana para conversar con tu familia sobre los sacramentos que cada uno ha celebrado. Mientras conversan haz una lista de las celebraciones.

____

____

Review

Choose a phrase to complete each sentence.

Christian Initiation	effective signs
God's life	the Holy Spirit

1. The sacraments are ______________________ given to us by Jesus Christ through which we share in God's life.
2. Through the Sacraments of ______________________ we are born into the Church, strengthened, and nourished.
3. Grace is our share in ______________________.
4. Jesus' presence continued in the disciples' lives through the power of ______________________.

Discuss the following.

5. Why is Jesus the greatest sign of God's love?
6. How are the Seven Sacraments different from all other signs?
7. What are the three groups of sacraments?

sacrament (page 65)

grace (page 65)

With My Family

Sharing Our Faith

1. Jesus is the greatest sign of God's love.
2. The Church celebrates seven special signs, the sacraments.
3. The sacraments unite us as the Body of Christ.

PRAYING TOGETHER

Pray the following prayer for the people in your parish who are preparing to receive the sacraments.

God our Father, you gave us your only Son
who is the greatest sign of your love.
Be with the people in our parish
who are preparing to receive the sacraments.
Jesus, help them to remember that you are present with them
as they celebrate these sacraments.
Holy Spirit, help each person be open to the grace
he or she will receive in the sacrament.
We ask this through Christ our Lord. Amen.

Living Our Faith

In this chapter you have learned about the Seven Sacraments. This week talk with your family about the sacraments each of you has received. As you discuss, list the celebrations here.

____

____

ALGO más que debes saber

DEPOSITO DE FE El depósito de la fe es toda la verdad contenida en la Escritura y la Tradición. Jesucristo reveló e instruyó esta verdad a los apóstoles. Ellos, a cambio, instruyeron esa verdad a sus sucesores, los obispos, y a toda la Iglesia.

Es en la Iglesia, la comunidad de fe, que descubrimos la verdad. El Magisterio, la enseñanza viva y oficial de la Iglesia, nos guía para entender la verdad. El Magisterio consiste en el papa y los obispos. Ellos nos enseñan la correcta interpretación del mensaje de la Escritura y la Tradición y como vivir su mensaje.

En cada generación, toda la Iglesia sigue compartiendo y construyendo sobre la fe de los apóstoles. Con la guía del Espíritu Santo, la Iglesia pasa todas las verdades que ha recibido por medio de la revelación de Dios. La fe de la Iglesia está siempre en desarrollo y la revelación está viva y activa en la Iglesia.

INFALIBILIDAD es el don del Espíritu Santo que mantiene a la Iglesia libre de error—en su fe y enseñanzas—en lo que concierne a la revelación divina y al depósito de la fe. El papa también tiene ese don cuando define una verdad relacionada con la fe y la moral.

EL PADRENUESTRO Durante el Sermón de la Montaña, Jesús enseñó a sus seguidores el Padrenuestro, una oración a Dios Padre. Esta es una oración esencial para la Iglesia—integrada en su liturgia y sus sacramentos.

En la primera parte del Padrenuestro, damos gloria a Dios y pedimos para que su reino se cumpla y rezamos a Dios por la habilidad de hacer su voluntad.

En la segunda parte del Padrenuestro pedimos a Dios por todo lo que necesitamos para nosotros y el mundo. Pedimos a Dios nos sane del pecado. Rezamos para que Dios nos proteja de todo lo que nos pueda alejar de su amor. Pedimos a Dios nos guíe para escoger lo bueno en nuestras vidas y para que nos fortalezca para cumplir su ley.

MORE for You to Know

DEPOSIT OF FAITH The Deposit of Faith is all the truth contained in Scripture and Tradition. Jesus Christ revealed and entrusted this truth to the Apostles. They, in turn, entrusted this truth to their successors, the bishops, and the entire Church.

It is within the Church, the community of faith, that we discover the truth. The Magisterium, the living teaching office of the Church, guides us in understanding the truth. The Magisterium consists of the pope and bishops. They teach us the correct understanding of the message of Scripture and Tradition and ways to live out this message.

In each generation, the whole Church continues to share and build upon the faith of the Apostles. With the guidance of the Holy Spirit, the Church hands on all the truths she has received through God's Revelation. The Church's faith is always developing, and God's Revelation is living and active in the Church.

INFALLIBILITY Infallibility is the gift of the Holy Spirit that keeps the Church free from error—in her beliefs and teachings—in matters concerning Divine Revelation and the Deposit of Faith. The pope also has the gift of infallibilty when he defines a truth pertaining to faith and morals.

THE LORD'S PRAYER During the Sermon on the Mount, Jesus taught his followers the Lord's Prayer, a prayer to God the Father. This prayer is an essential prayer of the Church—integrated into her liturgical prayer and sacraments.

In the first part of the Lord's Prayer, we give glory to God, we pray for the coming of God's Kingdom, and we pray to God for the ability to do his will.

In the second part of the Lord's Prayer, we ask God for everything we need for ourselves and for the world. We ask God to heal us of our sin. We pray that God will protect us from all that could draw us away from his love. We ask God to guide us in choosing good in our lives, and we ask him for the strength to follow his law.

UNIDAD 2 Evaluación

Encierra en un círculo la respuesta correcta.

1. La Iglesia celebra (**tres/siete/cuatro**) sacramentos de iniciación cristiana.
2. La Iglesia tiene (**nueve/siete/cuatro**) características.
3. El día de Pentecostés Pedro habló a la multitud y (**unas pocas personas/sólo doce personas/alrededor de tres mil personas**) se bautizaron.
4. La Iglesia es católica y está abierta a (**todos/algunos/a muchos**).
5. (**Cada persona, Sólo el párroco, Sólo el diácono**) es importante en la parroquia.

Completa las siguientes oraciones.

6. El ________________ y los obispos continúan el liderazgo del apóstol Pedro y los demás apóstoles.
7. Las cuatro características de la Iglesia son, una, ________________, católica y apostólica.
8. Un ________________ es un signo efectivo dado por Jesucristo por medio del cual compartimos en la vida de Dios.
9. La ________________, el cuerpo de Cristo, celebra cada sacramento.
10. Por medio de los sacramentos de ________________ somos introducidos a la Iglesia, fortalecidos y alimentados.

Escribe tus respuestas en una hoja de papel.

11. Escribe una razón por la que Jesús envió el Espíritu Santo a sus discípulos.
12. Escoge una de las cuatro características de la Iglesia y explica su significado.
13. Identifica formas en que Jesús mostró a sus discípulos que él es el signo más importante del amor de Dios.
14. ¿Qué es la Iglesia?
15. Nombra dos formas en que puedes participar en tu parroquia.

UNIT 2 Assessment

Circle the correct answer.

1. The Church celebrates (**three/seven/four**) Sacraments of Christian Initiation.
2. There are (**nine/seven/four**) Marks of the Church.
3. On Pentecost, Peter spoke to the crowd and (**only a few/only twelve/ about three thousand**) people were baptized.
4. The Church is catholic, open to (**all/some/many**) people.
5. (**Each person, Only the pastor, Only the deacon**) is important to the parish.

Complete the following statements.

6. The ________________ and the bishops continue the leadership of the Apostle Peter and the other Apostles.
7. The Catholic Church has four Marks: one, ________________, catholic, and apostolic.
8. A ________________ is an effective sign given to us by Jesus Christ through which we share in God's life.
9. The ________________, the whole Body of Christ, celebrates each sacrament.
10. Through the Sacraments of ________________ we are born into the Church, strengthened, and nourished.

Write your responses on a separate sheet of paper.

11. Write one reason why Jesus sent the Holy Spirit to his disciples.
12. Choose one of the four Marks of the Church and explain its meaning.
13. Identify ways Jesus showed his disciples that he is the greatest sign of God's love.
14. What is the Church?
15. Name two ways in which you can participate in your parish.

Semestre 1 Evaluación

Encierra en un círculo la letra al lado de la respuesta correcta.

1. La verdad de que Dios, el Hijo, se hizo hombre es _____.
a. la resurrección
b. la ascensión
c. Pentecostés
d. la encarnación

2. Es uno de los sacramentos de iniciación cristiana.
a. Matrimonio
b. Confirmación
c. Unción de los enfermos
d. Orden Sagrado

3. Son personas que sirven en la parroquia.
a. diáconos
b. laicos
c. sacerdotes
d. todas la anteriores

4. El regreso de Jesús en gloria a su Padre en el cielo es _____.
a. la Resurrección
b. la ascensión
c. Pentecostés
d. la encarnación

5. La Iglesia es _____. Esto significa que la Iglesia es universal, abierta a todos.
a. una
b. santa
c. católica
d. apostólica

Completa.

6. ____

es el signo más importante del amor de Dios.

7. El plan de Dios para los seres humanos era que ______________________

____.

8. Los apóstoles fueron ____

____.

9. Jesús dijo a sus seguidores que el reino de Dios es como ______________

____.

10. Por medio de la gracia que recibimos en cada sacramento, ______________

____.

Encierra en un círculo la respuesta correcta.

11. El sacramento de la Penitencia y Reconciliación es un sacramento de (**sanación, iniciación cristiana**).

12. Un área local de la Iglesia es llamada (**diácono, diócesis**).

13. (**Diócesis, Sacramento**) es un signo efectivo porque verdaderamente ofrece lo que representa.

14. El día en que el Espíritu Santo vino a los discípulos de Jesús es llamado (**Domingo de Pascua, Pentecostés**). Es el día en que la Iglesia nació.

15. Jesucristo es verdaderamente (**sólo divino, divino y humano**).

Escribe tus respuestas.

16. ¿Qué hizo Jesús por sus discípulos en la última cena?

____

17. ¿Cuál es el papel del papa y los obispos?

____

18. Nombra las características de la Iglesia. Escoge una y describe su significado.

____

19. ¿Qué es el reino de Dios?

____

20. Escribe dos formas en que puedes participar en tu comunidad parroquial.

____

Semester 1 Assessment

Circle the letter of the correct answer.

1. The truth that God the Son became man is _____.
- **a.** the Resurrection
- **b.** the Ascension
- **c.** Pentecost
- **d.** the Incarnation

2. One of the Sacraments of Christian Initiation is _____.
- **a.** Matrimony
- **b.** Confirmation
- **c.** Anointing of the Sick
- **d.** Holy Orders

3. The people who serve in a parish are _____.
- **a.** deacons
- **b.** lay people
- **c.** priests
- **d.** all of the above

4. Jesus' return in all his glory to his Father in Heaven is called _____.
- **a.** the Resurrection
- **b.** the Ascension
- **c.** Pentecost
- **d.** the Incarnation

5. The Church is _____. This means that the Church is universal, open to all people.
- **a.** one
- **b.** holy
- **c.** catholic
- **d.** apostolic

Complete the following.

6. The greatest sign of God's love is ____

____.

7. God's plan for human beings was that ____

____.

8. The Apostles are the ______________________________

______________________________.

9. Jesus told his followers that the Kingdom of God is like a ______________

______________________________.

10. Through the grace we receive in each sacrament, ______________

______________________________.

Circle the correct answer.

11. The Sacrament of Penance and Reconciliation is a Sacrament of (**Healing, Christian Initiation**).

12. Each local area of the Church is called a (**deacon, diocese**).

13. A (**diocese, sacrament**) is an effective sign because it truly brings about what it represents.

14. The day the Holy Spirit came upon Jesus' disciples is called (**Easter Sunday, Pentecost**). It was on this day that the Church began.

15. Jesus Christ is truly (**only divine, divine and human**).

Write your responses.

16. What did Jesus do for his disciples at the Last Supper?

____

17. What is the role of the pope and bishops?

____

18. Name the Marks of the Church. Choose one and describe what it means.

____

19. What is the Kingdom of God?

____

20. Write two ways you can participate in your parish community.

____

7 La Iglesia nos da nueva vida en Cristo

Bienvenido Miguel

Hola. Mi nombre es Margarita, ayer le pregunté a mi papá sobre mi bautismo: ¿quién estuvo presente, dónde me bautizaron, qué hicieron después del bautismo? Para contestarme papá buscó nuestra caja de tesoros. Sacó fotos de mi bautismo, mi acta de bautismo, una bandera y otros recuerdos. Mamá me dio la bandera y otros recuerdos.

Quería saber sobre mi bautismo porque mis tíos Melisa y Felipe adoptaron un bebé. Su nombre es Miguel y será bautizado hoy. Mis padres, yo, mis abuelos, mis tíos y mis primos vamos a la parroquia de tía Melisa para celebrar el bautismo de Miguel. Después vamos a la casa de los abuelos para una fiesta.

Pregunté a mi mamá si podía hacer algo para Miguel. Ella me pasó la bandera que estaba entre mis recuerdos diciendo: "Margarita, tus primos te hicieron esta bandera y te la dieron el día de tu bautismo".

Cuando la abrí tenía escrito las siguientes palabras: "Bienvenida Margarita".

Después que de ver mi bandera, decidí hacer una para Miguel.

En el espacio arriba ayuda a Margarita a decorar su bandera.

¿Quién fue el celebrante de tu bautismo?

¿Has asistido al bautismo de un miembro de tu familia o de un amigo?

¿Qué recuerdas sobre la celebración?

Aprenderemos...

1. El Bautismo es la base de la vida cristiana.
2. Celebramos el sacramento del Bautismo.
3. Celebramos el sacramento de la Confirmación.

The Church Offers Us New Life in Christ

7

Welcome Michael

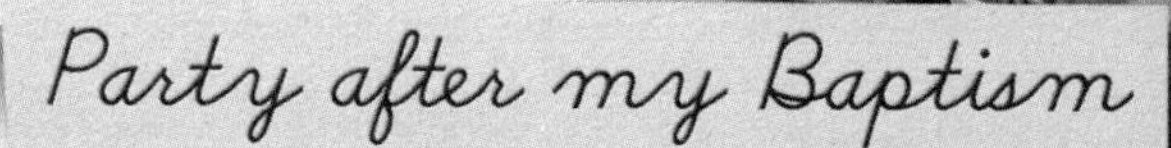

Hello. My name is Margaret. Yesterday I asked Dad questions about my Baptism: Who was there? Where was I baptized? What did everyone do after the Baptism? To help answer my questions, Dad found our family's treasure box. In the box we found many things from the day I was baptized: photographs, my baptismal certificate, a banner, and many other baptismal keepsakes.

I wanted to know about my Baptism because my Aunt Melissa and Uncle Kyle just adopted a baby. The baby's name is Michael, and he is going to be baptized. My parents and I, my grandparents, aunts, uncles, and cousins are going to my Aunt Melissa's parish church to celebrate Michael's Baptism. After the Baptism we are invited to my grandparents' house for a party.

I asked Mom what I could do for Michael. Mom handed me the banner that was in our box and said, "Margaret, your twin cousins made this and gave it to you on the day of your Baptism." When I opened the banner, it was brightly decorated and had "Welcome, Margaret" printed in large letters.

After seeing my banner, I decided to make a banner for Michael.

In the space above, help Margaret decorate her banner.

Who was at the celebration of your Baptism?

Have you ever been to a baptismal celebration of a family member or friend?

What do you remember about the celebration?

We Will Learn...

1. Baptism is the foundation of the Christian life.
2. We celebrate the Sacrament of Baptism.
3. We celebrate the Sacrament of Confirmation

1 El Bautismo es la base de la vida cristiana.

El Bautismo es el primer sacramento que celebramos. De hecho, no podemos recibir ningún otro sacramento mientras no seamos bautizados. Por medio del Bautismo compartimos en la vida de Dios, la vida de gracia. La gracia del Bautismo nos hace hijos de Dios, miembros de Cristo y templos del Espíritu Santo. Nos da el poder de vivir y actuar como discípulo de Jesucristo.

El Bautismo nos lleva a los otros dos sacramentos de iniciación, la Confirmación y la Eucaristía. El **Bautismo** es el sacramento por medio del cual:

- *Somos librados del pecado:* La victoria de Jesús sobre el pecado y la muerte nos ofrece la salvación. Salvación es el perdón de los pecados y la restauración de la amistad con Dios. El Bautismo es necesario para la salvación. El Bautismo nos libera del pecado original y de cualquier otro pecado personal.
- *Nos hacemos hijos de Dios:* nos hacemos hermanos de todas las personas que han sido bautizadas. El Bautismo nos hace miembros de una familia. Dios nos ve a todos como sus hijos. El nos ama a cada uno.
- *Somos bienvenidos a la Iglesia:* En el Bautismo somos bienvenidos en la comunidad de creyentes guiada por el Espíritu Santo. Nos hacemos parte del cuerpo de Cristo, el pueblo de Dios. Nos unimos a todos los que han sido bautizados en Cristo.

¿Cuáles son tres cosas que pasan cuando somos bautizados?

¿Sabías?

En el Bautismo somos sellados, marcados por siempre, como pertenecientes a Jesucristo. Este sello espiritual, llamado carácter, nunca se borra. Una vez hemos recibido el Bautismo, no importa lo que pase, pertenecemos a Cristo y a la Iglesia. Así que el Bautismo es un sacramento que no se repite. Una vez hemos sido bautizados, somos sellados por siempre con el signo de la fe y tenemos la esperanza de la vida eterna, vivir felices con Dios por siempre.

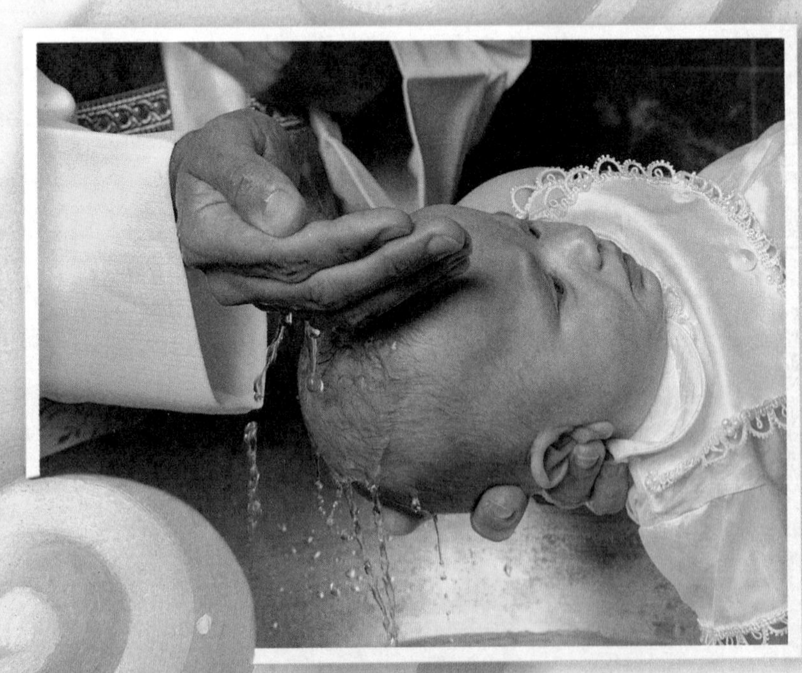

Do You Know?

At Baptism we are sealed, or marked forever, as belonging to Jesus Christ. This spiritual mark, called a character, can never be erased. Once we have received Baptism, no matter what may happen, we belong to Christ and the Church. Thus, Baptism is a sacrament that is never repeated. Once we have been baptized, we are marked forever with the sign of faith and have the hope of eternal life, living in happiness with God forever.

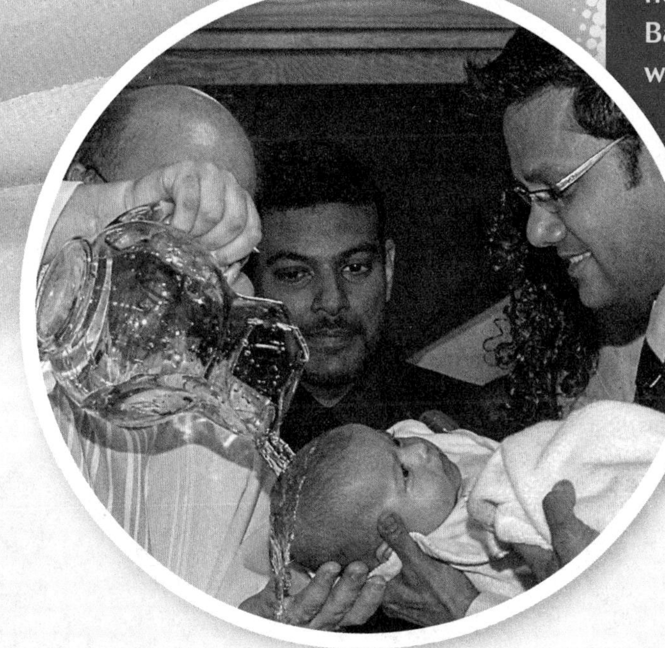

1 Baptism is the foundation of the Christian life.

Baptism is the first sacrament that we celebrate. In fact, we are unable to receive any other sacrament until we have first been baptized. Through Baptism we receive a share in God's own life, the life of grace. The grace of Baptism makes us children of God, members of Christ, and Temples of the Holy Spirit. It gives us the power to live and act as disciples of Jesus Christ.

Baptism leads us to the other two Sacraments of Christian Initiation, Confirmation and Eucharist. **Baptism** is the sacrament in which we:

• *Are freed from sin:* Jesus' victory over sin and death offers us Salvation. Salvation is the forgiveness of sins and the restoring of friendship with God. Baptism is necessary for Salvation. Baptism frees us from Original Sin and all our personal sins are forgiven.

• *Become children of God:* We become sisters and brothers with everyone else who has been baptized. Baptism makes us members of one family. God sees all of us as his children. He loves each one of us.

• *Are welcomed into the Church:* At Baptism we are welcomed into a community of believers led by the Holy Spirit. We become a part of the Body of Christ, the People of God. We are united with all those who have been baptized in Christ.

What are three things that happen when we are baptized?

2 Celebramos el sacramento del Bautismo.

Muchas personas son bautizadas cuando son bebés o muy pequeñas. Otras cuando son mayores, adolescentes o adultos. Nunca se es muy joven o muy viejo para empezar una nueva vida en Cristo por medio del Bautismo.

En muchas parroquias los bebés y los niños pequeños reciben el sacramento del Bautismo en domingo, porque Jesús resucitó un domingo. La celebración del sacramento en domingo destaca el hecho de que por medio del Bautismo resucitamos a una nueva vida en Cristo. La celebración en domingo permite a los miembros de la parroquia participar en la celebración. El **celebrante** del Bautismo puede ser un obispo, un sacerdote o un diácono. El celebra el Bautismo para y con la comunidad. Como el Bautismo es necesario para la salvación, en caso de necesidad cualquier persona puede bautizar.

El Bautismo puede tener lugar en dos formas. El celebrante sumerge al niño tres veces en una tina de agua. O el celebrante puede derramar agua tres veces en la cabeza del niño.

Mientras sumerge o derrama el agua, el celebrante dice:

"N., Yo te bautizo en el nombre del Padre, y del Hijo, y del Espíritu Santo".

Crisma es aceite perfumado bendecido por el obispo. El celebrante unge al nuevo bautizado en la frente con crisma. Esta unción es signo del don del Espíritu Santo. Muestra que el recién bautizado comparte en la misión de Jesucristo. Esta unción también relaciona el Bautismo con el sacramento de la Confirmación cuando se hace otra unción con crisma.

¿Cuándo fuiste bautizado?

¿Quién participó en la celebración?

2 We celebrate the Sacrament of Baptism.

Many people are baptized as infants or young children. Others are baptized as older children, adolescents, or adults. No one is ever too young or too old to begin a new life in Christ through Baptism.

In many parishes infants or young children receive the Sacrament of Baptism on Sunday, the day of Jesus Christ's Resurrection. The celebration of the sacrament on Sunday highlights the fact that through Baptism we rise to new life in Christ. The Sunday celebration allows parish members to participate in the celebration. The **celebrant** of Baptism is a bishop, priest, or deacon. He celebrates the sacrament for and with the community. Because Baptism is necessary for Salvation, when there is a serious need, anyone can baptize.

The actual Baptism can take place in two ways. The celebrant can immerse, or plunge, the child in water three times. Or the celebrant can pour water over the child's head three times.

While immersing or pouring, the celebrant says,

"N. [name], I baptize you in the name
of the Father,
and of the Son,
and of the Holy Spirit."

Chrism is perfumed oil blessed by the bishop. The celebrant anoints the newly-baptized child on the crown of the head with Chrism. This anointing is a sign of the Gift of the Holy Spirit. It shows that the newly-baptized child shares in the mission of Jesus Christ. This anointing also connects Baptism to the Sacrament of Confirmation when another anointing with Chrism takes place.

When were you baptized?

Who took part in the celebration?

3 Celebramos el sacramento de la Confirmación.

Confirmación es el sacramento en que recibimos el don del Espíritu Santo de manera especial. La Confirmación es un sacramento de iniciación. La confirmación fortalece nuestra unión con Cristo y la Iglesia. Todo bautizado miembro de la Iglesia es llamado a recibir este sacramento.

Los que son bautizados cuando son adultos o niños mayores con frecuencia reciben el Bautismo, la Confirmación y la Eucaristía en una sola celebración, generalmente durante la vigilia pascual. Esos bautizados cuando bebés o muy pequeños generalmente celebran la Confirmación entre los siete y los diez y seis años.

La comunidad parroquial ayuda a los jóvenes a prepararse para celebrar la Confirmación por medio de la oración y la instrucción de la fe y las oportunidades para servir. Los que van a ser confirmados son llamados candidatos. Los candidatos deben profesar su fe, estar libres de pecados mortales, desear la Confirmación y estar dispuestos a vivir la fe.

Un obispo viene a la parroquia para confirmar a los candidatos, generalmente durante una misa especial. Cuando es necesario, un obispo puede delegar a un sacerdote para confirmar a los candidatos.

El obispo confirma a cada candidato imponiendo su mano en la cabeza del candidato. Mientras el obispo hace la imposición traza la señal de la cruz con crisma en la frente del candidato. El obispo llama a cada candidato por su nombre, diciendo: "Recibe el don del Espíritu Santo".

El confirmando responde: "Amén".

En la Confirmación, la unción con crisma confirma y completa la unción del Bautismo. Igual que el carácter del Bautismo, el sello de la Confirmación no se quita. Por eso sólo celebramos la Confirmación una vez.

Cuando somos bautizados, el Espíritu Santo comparte siete dones espirituales con nosotros que nos ayudan a vivir como fieles seguidores y testigos de Jesucristo. En la Confirmación el Espíritu Santo fortalece esos dones en nosotros para que con nuestras vidas podamos ser testigos de nuestra fe con nuestras palabras y obras. Los dones del Espíritu santo son: sabiduría, inteligencia, consejo, fortaleza, ciencia, piedad y temor de Dios.

¿Cómo se prepara una persona para celebrar el sacramento de la Confirmación?

3 We celebrate the Sacrament of Confirmation.

Confirmation is the sacrament in which we receive the Gift of the Holy Spirit in a special way. Confirmation is a Sacrament of Christian Initiation. Confirmation strengthens our bond with Christ and the Church. All baptized members of the Church are called to receive this sacrament.

Those who are baptized as adults or older children often receive Baptism, Confirmation, and the Eucharist at one celebration, usually at the Easter Vigil. Those who are baptized as infants or young children usually receive Confirmation between the ages of seven and sixteen.

The parish community helps young people prepare for Confirmation through prayer and instruction in the faith and opportunities for service. The people who are to be confirmed are called candidates. Candidates must profess their faith, be without serious sin, desire Confirmation, and be ready to live their faith.

A bishop comes to the parish to confirm the candidates, often during a special Mass. When necessary, a bishop may designate a priest to confirm the candidates.

The bishop confirms each candidate by laying his right hand on the candidate's head. As the bishop does this, he traces the Sign of the Cross on the candidate's forehead with Chrism. The bishop calls the candidate by name, saying, "Be sealed with the Gift of the Holy Spirit." The person confirmed responds, "Amen."

At Confirmation, the anointing with Chrism confirms and completes the baptismal anointing. Like the character or mark of Baptism, the seal of Confirmation is with a person always. Because of this, a person receives Confirmation only once.

When we are baptized, the Holy Spirit shares seven spiritual gifts with us to help us to live as faithful followers and witnesses of Jesus Christ. At Confirmation the Holy Spirit strengthens these gifts within us. The Gifts of the Holy Spirit are: wisdom, understanding, counsel (right judgment), fortitude (courage), knowledge, piety (reverence), and fear of the Lord (wonder and awe).

How does a person prepare for the Sacrament of Confirmation?

Repaso

Escribe *verdadero* o *falso* al lado de las siguientes oraciones. En una hoja de papel cambia la oración falsa en verdadera.

1. ____________ El Bautismo nos libera del pecado original.

2. ____________ Recibimos el sacramento de la Confirmación más de una vez.

3. ____________ Celebramos los sacramentos del Bautismo y la Confirmación en privado.

4. ____________ En el Bautismo y la Confirmación una persona es ungida con crisma.

Conversen sobre lo siguiente:

5. ¿Por qué es propio que la comunidad parroquial celebre el Bautismo los domingos?

6. ¿En qué nos convertimos al bautizarnos?

7. ¿Cómo nos ayudan los siete dones del Espíritu Santo?

Vocabulario

Bautismo (p. 80)
celebrante (p. 82)
crisma (p. 82)
Confirmación (p. 84)

Con mi familia

Compartiendo nuestra fe

1. **El Bautismo es la base de la vida cristiana.**
2. **Celebramos el sacramento del Bautismo.**
3. **Celebramos el sacramento de la Confirmación.**

REZANDO JUNTOS

Mientras rezas piensa en lo maravilloso que es compartir en la vida de Dios, la vida de gracia.

"Cumple en nosotros tu promesa, Señor, para que por la venida del Espíritu Santo, nos convirtamos ante el mundo en testigos del Evangelio de nuestro Señor Jesucristo". (Rito de la Confirmación)

Viviendo nuestra fe

Durante el Bautismo recibimos siete dones del Espíritu Santo. Lee la breve descripción de cada uno de ellos en la página 196 de este libro. Después escoge dos y escribe como cada uno puede ayudarte a vivir como hijo de Dios y miembro de la Iglesia.

____

____

____

____

Review

Write *True* or *False* next to the following sentences. On a separate piece of paper, change the false sentences to make them true.

1. ____________ At Baptism we are freed from Original Sin.
2. ____________ We may receive the Sacrament of Confirmation more than once.
3. ____________ We celebrate the Sacraments of Baptism and Confirmation in private.
4. ____________ At Baptism and Confirmation a person is anointed with Chrism.

Discuss the following.

5. Why is it appropriate for parish communities to celebrate Baptism on Sunday?
6. What do we become at Baptism?
7. What do the seven Gifts of the Holy Spirit help us to do?

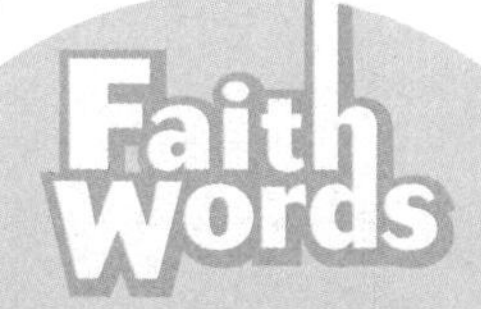

Baptism (page 81)
celebrant (page 83)
Chrism (page 83)
Confirmation (page 85)

With My Family

Sharing Our Faith

1. **Baptism is the foundation of the Christian life.**
2. **We celebrate the Sacrament of Baptism.**
3. **We celebrate the Sacrament of Confirmation.**

PRAYING TOGETHER

As you pray, think about how wonderful it is to share in God's life, the life of grace.

Lord,
fulfill your promise.
Send your Holy Spirit
to make us witnesses before the world
to the good news proclaimed by Jesus Christ, our Lord. (Rite of Confirmation)

Living Our Faith

At Baptism you receive seven Gifts of the Holy Spirit. Read a brief description of each of these gifts found on page 197 of this book. Then choose two of these gifts and write how each can help you live as a child of God and member of the Church.

____

____

____

____

8 Somos alimentados por el Cuerpo y la Sangre de Cristo

Regalos y tesoros

El sábado pasado Damián visitó a su abuela Karen para ayudarla a empacar. Ella se estaba mudando. Cuando Damián llegó a la casa, la abuela estaba en la cocina. Ella estaba limpiando cajas. La abuela le dijo: "Damián, mira los dos tesoros que encontré".

Damián pensó que su abuela le iba a mostrar un collar u otra joya. Pero la abuela le pasó un libro de certificados. Ella le dijo: "Cuando tu padre tenía tu edad, me dio estos certificados para mi cumpleaños".

Damián se rió cuando leyó los certificados. Uno decía: "Limpiaré mi cuarto sin que me lo pidas". El otro: "No protestaré esta semana".

La abuela tomó un caracol y le dijo a Damián: "Tu tía Carla me dio este caracol el mismo año. Era el favorito de su colección. De todos los regalos de cumpleaños que recibí ese año, estos dos fueron mis favoritos".

Damián preguntó: "¿Por qué estos regalos fueron tus favoritos?"

La abuela contestó: "Porque fueron hechos con amor. Damián, recuerda que los regalos más importantes que puedes dar no son comprados en las tiendas. Cuando queremos a otra persona, le damos nuestro tiempo y atención, la escuchamos, tratamos de ayudarla. De hecho, me estás dando un regalo ahora, el regalo de tu tiempo y tu amor".

La abuela puso los certificados y el caracol en la caja y dijo: "Voy a buscar un lugar para estos tesoros en mi nuevo hogar".

¿Cuál es el regalo más importante que alguien te ha dado?

¿Cuál es el regalo más importante que has dado a alguien?

We Are Nourished by the Body and Blood of Christ 8

Gifts to Treasure

Last Saturday Eric went to his Grandmom Karen's house to help her pack. She was going to move to another town. When Eric got to the house, Grandmom Karen was in the kitchen. She was going through boxes that she had brought up from the basement. She said to Eric, "Look at two treasures I just found."

Eric thought his grandmother was going to show him a necklace or some other jewelry. But she handed him a book of coupons. She said, "When your father was your age, he gave me these coupons for my birthday."

Eric laughed when he read the coupons. One read, "I will clean my room before you ask me." The other read, "I will not complain once this week."

Then Grandmom held up a seashell and said, "Your Aunt Cassie gave this shell to me that same year. It was her favorite shell. These two were my favorite gifts that year."

Eric asked, "Why were these gifts your favorite, Grandmom?"

She answered, "Because they were gifts of love. Eric, remember that some of the most meaningful gifts you can give cannot be bought in a store. When we love others, we give them our time and attention. We listen to them. We help them. You're giving me a gift right now—the gift of your time and love."

Grandmother put the coupons and the shell in a small box. She said, "I'm going to make room for these treasures in my new home."

What is the most meaningful gift someone has given to you?

What is the most meaningful gift you have given to someone?

We Will Learn...

1. Jesus gave us himself in the Eucharist.
2. The Eucharist is a memorial, a meal, and a sacrifice.
3. The Mass is the celebration of the Eucharist.

1 Jesús se dio a sí mismo en la Eucaristía.

Jesús quiso permanecer con sus discípulos. Así que en la última cena en la noche antes de morir, Jesús se dio a sí mismo a los discípulos en una forma especial para que lo recordaran y para estar con ellos. "Durante la cena, Jesús tomó pan, pronunció la bendición, lo partió, lo dio a sus discípulos y dijo: 'Tomen, esto es mi cuerpo'. Tomó luego un cáliz, pronunció la acción de gracia, lo dio a sus discípulos y bebieron todos de él. Y les dijo: 'Esta es mi sangre, la sangre de la alianza derramada por todos'". (Marcos 14:22–24)

Cuando Jesús compartió el pan y el vino se ofreció a sí mismo para nuestra salvación. En la última cena Jesús nos dio el regalo de sí mismo e instituyó la Eucaristía. Por medio de la Eucaristía Jesús está siempre con nosotros.

La **Eucaristía** es el sacramento del Cuerpo y la Sangre de Cristo. La misa es la celebración de la Eucaristía.

Por el poder del Espíritu Santo y las palabras y gestos del sacerdote, Jesús se hace verdaderamente presente en el sacramento de la Eucaristía. El está verdaderamente presente bajo las especies de pan y vino. Recibimos a Jesucristo mismo en la comunión.

Cuando recibimos la Eucaristía, compartimos en la vida de Dios—vida del Padre, del Hijo y del Espíritu Santo. Nuestra relación con Cristo y con los demás es fortalecida. Cristo une a todos los fieles en un cuerpo, el cuerpo de Cristo, la Iglesia.

En el sacramento de la Eucaristía completamos nuestra iniciación cristiana en la Iglesia. La Eucaristía nos nutre para ser fieles miembros de la Iglesia, así que es el único sacramento de iniciación que recibimos una y otra vez.

¿Por qué crees que la Eucaristía es el centro de nuestras vidas?

1 Jesus gave us himself in the Eucharist.

Jesus wanted to remain present with his disciples. So at the Last Supper on the night before he died, Jesus gave his disciples a special way to remember him and to be with him. "While they were eating, he took bread, said the blessing, broke it, and gave it to them, and said, 'Take it; this is my body.' Then he took a cup, gave thanks, and gave it to them, and they all drank from it. He said to them, 'This is my blood of the covenant, which will be shed for many.'" (Mark 14:22–24)

Jesus' breaking of the bread and sharing of the cup was an offering of himself for our salvation. At the Last Supper Jesus gave us the gift of himself and instituted the Eucharist. Through the Eucharist Jesus remains with us forever.

The **Eucharist** is the sacrament of the Body and Blood of Christ. The Mass is the celebration of the Eucharist.

Through the power of the Holy Spirit and the words and actions of the priest, Jesus truly becomes present to us in the Sacrament of the Eucharist. He is truly present to us under the appearances of bread and wine. We receive Jesus Christ himself in Holy Communion.

When we receive the Eucharist, we share in God's own life—the life of the Father, the Son, and the Holy Spirit. Our relationship with Christ and one another is strengthened. Christ unites all the faithful in one body, the Body of Christ, the Church.

In the Sacrament of the Eucharist we complete our Christian initiation into the Church. The Eucharist nourishes us to be faithful members of the Church. Thus, it is the only Sacrament of Christian Initiation that we receive again and again.

Why do you think the Eucharist is at the center of our lives?

La Eucaristía es un sacrificio.

Un **sacrificio** es una ofrenda a Dios por un sacerdote en nombre de todo el pueblo. Durante la celebración de la Eucaristía, Jesús actúa por medio del sacerdote. En cada celebración, el sacrificio de Jesús en la cruz, su resurrección y su ascensión al cielo, se hacen presentes de nuevo por medio de las palabras y gestos del sacerdote.

Por medio de este sacrificio somos salvados. Este sacrificio se ofrece por el perdón de los pecados de los vivos y los muertos. Por medio de esto somos reconciliados con Dios y con los demás. Nuestros pecados veniales son perdonados y somos fortalecidos para evitar pecados mortales.

En la Eucaristía Jesús ofrece a su Padre adoración y acción de gracias. Esta acción de gracia y alabanza es por todos los regalos de la creación. La palabra *eucaristía* significa "dar gracias". En cada celebración de la Eucaristía, toda la Iglesia ofrece gracias y alabanzas. Cuando celebramos la Eucaristía, rezamos al Padre por medio del Hijo y en la unidad del Espíritu Santo. Nos unimos a Jesús y nos ofrecemos a Dios Padre. Ofrecemos nuestras alegrías y preocupaciones. Ofrecemos nuestra disposición de vivir como discípulos de Jesús.

¿Qué recordarás sobre Jesús la próxima vez que celebres la Eucaristía?

¿Qué alegrías y preocupaciones ofrecerás a Dios?

2 La Eucaristía es un memorial, una comida y un sacrificio.

La Eucaristía es un memorial.

Cuando Jesús dio la Eucaristía a sus discípulos, él les dijo: "Hagan esto en memoria mía" (Lucas 22:19). Cuando nos reunimos y celebramos el sacramento de la Eucaristía, estamos recordando que Jesús está presente entre nosotros en esa celebración. Recordamos la nueva vida que tenemos por la muerte y resurrección de Jesucristo.

La Eucaristía es una comida.

En la última cena Jesús y sus discípulos estaban comiendo y celebrando una comida especial. En la Eucaristía compartimos una comida. En la Eucaristía también somos alimentados. Somos alimentados por el Cuerpo y la Sangre de Jesucristo. Como nos dijo Jesús: "Mi carne es verdadera comida y mi sangre es verdadera bebida. El que come mi carne y bebe mi sangre vive en mí y yo en él". (Juan 6:55–56)

2 The Eucharist is a memorial, a meal, and a sacrifice.

The Eucharist is a memorial.

When Jesus gave his disciples the Eucharist, he told them, "do this in memory of me" (Luke 22:19). When we gather and celebrate the Sacrament of the Eucharist, we are remembering Jesus who is present to us in this celebration. We are remembering the new life we have because of Jesus Christ's death and Resurrection.

The Eucharist is a meal.

At the Last Supper Jesus and his disciples were eating and celebrating a special meal. In the Eucharist we share in a meal. In the Eucharist we, too, are nourished. We are nourished by the Body and Blood of Jesus Christ. As Jesus told us, "For my flesh is true food, and my blood is true drink. Whoever eats my flesh and drinks my blood remains in me and I in him" (John 6:55–56).

The Eucharist is a sacrifice.

A **sacrifice** is a gift offered to God by a priest in the name of all the people. During the celebration of the Eucharist, Jesus acts through the priest. At each celebration, Jesus' sacrifice on the cross, his Resurrection, and his Ascension into Heaven are made present again through the words and actions of the priest.

Through this sacrifice we are saved. This sacrifice is offered for the forgiveness of the sins of the living and the dead. Through it we are reconciled with God and one another. Our less serious sins are forgiven, and we are strengthened to avoid serious sin.

In the Eucharist Jesus offers his Father praise and thanksgiving. This thanks and praise is for all the gifts of creation. The word *eucharist* means "to give thanks." In every celebration of the Eucharist, the whole Church offers thanks and praise. When we celebrate the Eucharist, we pray to the Father, through the Son, in the unity of the Holy Spirit. We join Jesus in offering ourselves to God the Father. We offer all our joys and concerns. We offer our willingness to live as Jesus' disciples.

What will you remember about Jesus the next time you celebrate the Eucharist?

What joys and concerns will you offer to God?

3 La misa es la celebración de la Eucaristía.

La misa es el culto más importante de la Iglesia. La celebración de la Eucaristía, la misa, es el centro de la vida de la Iglesia. Por esta razón la Iglesia requiere que todos sus miembros participen en ella los sábados en la tarde o los domingos.

Cuando participamos en la misa, mostramos nuestro aprecio por el regalo de Jesús de darse a sí mismo. Algunas de las formas en que participamos en la misa son cantando, respondiendo a las oraciones, escuchando y respondiendo a las lecturas bíblicas y comulgando.

Durante la misa Jesús está con nosotros. El se ofrece a sí mismo para fortalecer nuestra amistad y amor por Dios. Jesús está presente en la palabra de Dios, en los reunidos en su nombre, en el sacerdote celebrante y lo más importante, en su Cuerpo y Sangre que recibimos en la comunión.

La Iglesia recomienda comulgar cada vez que participamos en la misa. La Iglesia requiere que recibamos la comunión por lo menos una vez al año.

¿Cómo participarás de la misa en el próximo domingo?

¿Sabías?

La Iglesia tiene muchos días de fiesta algunos muy especiales llamados días de precepto. La Iglesia pide que participemos en la misa durante esos días. Además de los domingos, en los Estados Unidos los días de precepto son:

Solemnidad de María, la Madre de Dios (1 de enero)

La Ascensión (cuando se celebra un jueves durante el tiempo de Pascua)

Asunción de María (15 de agosto)

Todos los Santos (1 de noviembre)

Inmaculada Concepción (8 de diciembre)

Navidad (25 de diciembre)

3 The Mass is the celebration of the Eucharist.

The Mass is the Church's great act of worship. The celebration of the Eucharist, the Mass, is the center of the Church's life. For this reason the Church requires all members to participate in Mass every Sunday or Saturday evening.

When we participate in the Mass, we show that we appreciate the great gift Jesus has given us—the gift of himself. Some of the ways that we participate are by singing, praying the responses, listening and responding to readings from the Bible, and receiving Holy Communion.

During Mass Jesus is among us. He offers himself so that we can grow in God's friendship and love. Jesus is present to us in the Word of God, in those who have gathered in his name, in the priest celebrant, and most importantly, in his Body and Blood which we receive in Holy Communion.

The Church recommends that each time we participate in the Mass, we receive Holy Communion. The Church requires us to receive Holy Communion at least once a year.

How will you participate in next Sunday's Mass?

Do You Know?

The Church has many feast days, including very special ones called Holy Days of Obligation. The Church requires that we participate in Mass on these days. In addition to Sundays, in the United States the Holy Days of Obligation are:

Solemnity of Mary, Mother of God (January 1)

Ascension (when celebrated on Thursday during the Easter season)

Assumption of Mary (August 15)

All Saints' Day (November 1)

Immaculate Conception (December 8)

Christmas (December 25)

Repaso

Completa las siguientes oraciones:

1. Jesús nos dio el regalo de sí mismo en la Eucaristía en ______________.

2. La palabra *eucaristía* significa "______________________".

3. En la Eucaristía Jesús está verdaderamente presente bajo las especies de ______________ y ______________________.

4. La Eucaristía es un memorial, una comida y un ______________.

Conversen sobre lo siguiente:

5. ¿Qué pasa cuando recibimos la Eucaristía?

6. ¿Cómo Jesús está presente en la misa?

7. ¿En qué formas participamos en la misa?

Eucaristía (p. 90)

sacrificio (p. 92)

Con mi familia

Compartiendo nuestra fe

1. **Jesús se dio a sí mismo en la Eucaristía.**
2. **La Eucaristía es un memorial, una comida y un sacrificio.**
3. **La misa es la celebración de la Eucaristía.**

REZANDO JUNTOS

Después de recibir a Jesús en la comunión podemos decir la siguiente oración de acción de gracias:

Jesús,
has venido a mí en esta comunión.
Gracias por fortalecerme para ser discípulo tuyo y servir a otros.
Ayúdame a agradecer cada día y a permanecer cerca de ti siempre. Amén.

Viviendo nuestra fe

En este capítulo aprendiste que la misa es una celebración de alabanza y acción de gracias.Conversa sobre los regalos de Dios que más agradeces esta semana. Escríbelos en las líneas. Después escribe formas en que mostrarás tu agradecimiento a Dios.

Regalo	*forma de agradecer*
La comida	Trata de no desperdiciarla. Comida que podemos donar a una cocina popular.

____

____

Review

Complete the following sentences.

1. Jesus gave us the gift of himself in the Eucharist at

   ______________________________.

2. The word *eucharist* means "__________

   ______________________________."

3. In the Eucharist Jesus is truly present to us under the appearances of

   ______________________________.

4. The Eucharist is a memorial, a meal, and a

   ______________________________.

Discuss the following.

5. What happens to us when we receive the Eucharist?
6. How is Jesus present to us at Mass?
7. In what ways do we participate at Mass?

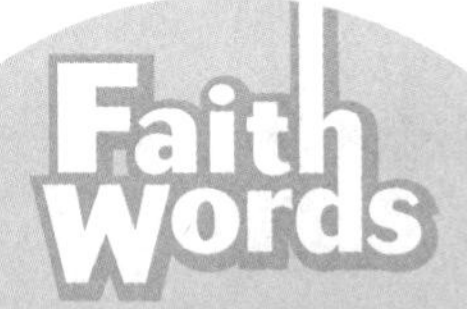

Eucharist (page 91)

sacrifice (page 93)

With My Family

Sharing Our Faith

1. **Jesus gave us himself in the Eucharist.**
2. **The Eucharist is a memorial, a meal, and a sacrifice.**
3. **The Mass is the celebration of the Eucharist.**

PRAYING TOGETHER

After we receive Jesus in Holy Communion, we can say the following prayer of thanks.

Jesus,
thank you for coming to me in Communion.
Thank you for strengthening me to be your disciple and to serve others.
Help me to be grateful for each day and to stay close to you always.
Amen.

Living Our Faith

In this chapter you have learned that the Mass is a celebration of praise and thanksgiving. Discuss what gifts from God you are most grateful for this week. Write these gifts below. Then write ways you can show God your thanks.

Gift	*Way to give thanks*
Our food	Try not to waste food. Donate food to a pantry.

____

____

____

Nos congregamos para la misa

Celebraciones en familia

Piensa en algunas celebraciones en familia.

¿Qué celebración reciente fue tu favorita?

____

¿Dónde fue la celebración?

____

¿Quiénes estuvieron presentes?

____

Chequea las actividades de la celebración:

_____ compartieron una comida

_____ contaron y escucharon historias de la familia

_____ cantaron

_____ bailaron

_____ tomaron fotos y videos.

Feliz cumpleaños

Aprenderemos...

1 En la misa alabamos a Dios y escuchamos su palabra.

2 Llevamos las ofrendas y empieza la plegaria eucarística.

3 Comulgamos y somos enviados a llevar el amor de Dios a otros.

We Gather for Mass

9

Family Celebrations

Think about your family's celebrations.

Which recent celebration is your favorite?

____

When was the celebration?

____

Who was there?

____

Check the celebration activities in which you participated.

_____ sharing a meal

_____ telling and listening to family stories

_____ singing

_____ dancing

_____ taking photos or a video

We Will Learn...

1 At Mass we praise God, and we listen to his Word.

2 We offer gifts, and the Eucharistic Prayer begins.

3 We receive Holy Communion, and we are sent to bring God's love to others.

1 En la misa alabamos a Dios y escuchamos su palabra.

La misa es la celebración de la Eucaristía. La comunidad de personas reunidas para esta celebración es llamado la **asamblea** litúrgica. Solamente un sacerdote ordenado puede presidir la misa. El dirige la asamblea en la celebración de las cuatro partes de la misa: Ritos Iniciales, Liturgia de la Palabra, Liturgia de la Eucaristía y el Rito de Conclusión.

La parte de la misa que nos une como comunidad es llamada **Ritos Iniciales**. Esta nos prepara para escuchar la palabra de Dios y celebrar la Eucaristía. Durante los Ritos Iniciales hacemos la señal de la cruz junto con el sacerdote, quien nos da la bienvenida en nombre de Jesús. Juntos recordamos nuestros pecados y pedimos perdón a Dios. Después, la mayoría de los domingos del año, rezamos o cantamos el Gloria—una oración de alabanza a Dios. El sacerdote hace la oración inicial, conocida como *colecta*. Se ofrece a Dios Padre por medio de Cristo en el Espíritu Santo.

Después participamos en la **Liturgia de la Palabra** que es la parte de la misa cuando escuchamos y respondemos a la palabra de Dios. Escuchamos sobre el gran amor de Dios por su pueblo. Escuchamos sobre la vida y las enseñanzas de Jesucristo. Los domingos escuchamos tres lecturas de la Biblia, la palabra de Dios.

- La primera lectura es generalmente tomada del Antiguo Testamento. Respondemos a esta lectura cantando o rezando un salmo.
- La segunda lectura es tomada del Nuevo Testamento, generalmente de una de las cartas de San Pablo.
- La última lectura es siempre tomada de uno de los cuatro evangelios. Estos son recuentos de la buena nueva de Jesucristo en el Nuevo Testamento: Mateo, Marcos, Lucas, Juan. Nos ponemos de pie para escuchar al sacerdote o al diácono proclamar el evangelio.

Después de la lectura del evangelio, el sacerdote o el diácono ofrece una *homilía*. Escuchamos como explica el significado de las lecturas y nos enseña sobre nuestra fe católica. Juntos rezamos el credo, con el cual afirmamos nuestra fe en Dios y en todo lo que la Iglesia enseña. Después rezamos juntos la oración de los fieles por las necesidades de la Iglesia, el mundo y nuestra comunidad local.

¿Cómo explicas los Ritos Iniciales y la Liturgia de la Palabra a un niño más pequeño?

1 At Mass we praise God, and we listen to his Word.

The Mass is the celebration of the Eucharist. The community of people who gather for this celebration is called the liturgical **assembly**. Only an ordained priest can preside at Mass. He leads the assembly in the celebration of the Mass. The Mass has four parts: the Introductory Rites, the Liturgy of the Word, the Liturgy of the Eucharist, and the Concluding Rites.

The part of the Mass that unites us as a community is the **Introductory Rites**. It prepares us to hear God's Word and to celebrate the Eucharist. During the Introductory Rites, we make the Sign of the Cross with the priest, who greets us in Jesus' name. Together we recall our sins and ask for God's mercy. Then, on most Sundays of the year, we praise God by saying or singing the Gloria—a prayer giving glory to God. The priest prays the Opening Prayer, known as the *Collect*. It is prayed to God the Father through Christ in the Holy Spirit.

Then we participate in the **Liturgy of the Word**, which is the part of the Mass when we listen and respond to God's Word. We hear about God's great love for his people. We hear about the life and teaching of Jesus Christ. On Sunday, we listen to three readings from the Bible, the Word of God.

- The first reading is usually from the Old Testament. We respond to this reading by singing or praying a psalm.
- The second reading is from the New Testament, most often from one of the letters of Saint Paul.
- The last reading is always taken from one of the four Gospels. These are accounts of the Good News of Jesus Christ in the New Testament according to: Matthew, Mark, Luke, or John. We stand to listen as the priest or deacon proclaims the Gospel.

After the readings and the Gospel, the priest, or deacon gives a *homily*. We listen as he explains the meaning of the readings and teaches us about our Catholic faith. Then, together, we say the Creed, stating our beliefs in God and in all that the Church teaches. Next, we pray together the Prayer of the Faithful for the needs of the Church, the world, and our local community.

How would you explain the Introductory Rites and the Liturgy of the Word to a younger child?

2 Llevamos las ofrendas y empieza la plegaria eucarística.

La Liturgia de la Eucaristía es la tercera parte de la misa. La **Liturgia de la Eucaristía** es la parte de la misa en donde el pan y el vino se convierten en el Cuerpo y la Sangre de Cristo, que recibimos en la comunión.

La Liturgia de la Eucaristía empieza cuando el diácono o el sacerdote prepara el altar y las ofrendas. Los miembros de la asamblea presentan al sacerdote las ofrendas de pan y vino y nuestra donación a la Iglesia y los pobres. Esas ofrendas son un signo de que damos a Dios todo lo que somos y hacemos. El sacerdote da gracias a Dios por las ofrendas. Respondemos: "Bendito seas por siempre, Señor".

Después el sacerdote en nombre de toda la comunidad hace la plegaria eucarística, la oración de alabanza y acción de gracias más importante de la Iglesia.

Durante esta oración el sacerdote dice y hace lo que Jesús hizo y dijo en la última cena.

El sacerdote toma el pan y dice:

"Tomen y coman todos de él, porque esto es mi Cuerpo, que será entregado por vosotros".

Cuando el sacerdote toma la copa de vino dice:

"Tomen y beban todos de él, porque este es el cáliz de mi Sangre".

Esta parte de la plegaria eucarística es llamada *consagración*. Por medio de estas palabras y los gestos del sacerdote, por el poder del Espíritu Santo, el pan y el vino se convierten en el Cuerpo y la Sangre de Cristo. La transformación del pan y el vino es llamada *transustanciación*.

Al final de la plegaria eucarística decimos o cantamos "Amén". Juntos estamos diciendo "Sí, creemos".

Explica lo que sucede durante la oración eucarística.

2 We offer gifts, and the Eucharistic Prayer begins.

The Liturgy of the Eucharist is the third part of the Mass. The **Liturgy of the Eucharist** is the part of the Mass when the bread and wine become the Body and Blood of Christ, which we receive in Holy Communion.

The Liturgy of the Eucharist begins as the deacon or priest prepares the altar and the gifts that we offer. Members of the assembly present to the priest gifts of wheat bread and grape wine and our collection for the Church and the poor. These gifts are a sign that we give to God all that we are and all that we do. The priest then gives thanks to God for the gifts. We respond, "Blessed be God for ever."

Then the priest in the name of the entire community prays the Eucharistic Prayer, the Church's greatest prayer of praise and thanksgiving.

During this prayer the priest says and does what Jesus said and did at the Last Supper. As the priest takes the bread, he says,

"TAKE THIS, ALL OF YOU, AND EAT OF IT: FOR THIS IS MY BODY, WHICH WILL BE GIVEN UP FOR YOU."

As the priest takes the cup of wine, he says:

"TAKE THIS, ALL OF YOU, AND DRINK FROM IT: FOR THIS IS THE CHALICE OF MY BLOOD...."

This part of the Eucharistic Prayer is called the *Consecration*. Through these words and actions of the priest, by the power of the Holy Spirit, the bread and wine become the Body and Blood of Christ. This change that the bread and wine undergo is called *transubstantiation*.

At the end of the Eucharistic Prayer, we say or sing "Amen." Together we are saying "Yes, we believe."

Explain what happens during the Eucharistic Prayer.

3 Comulgamos y somos enviados a llevar el amor de Dios a otros.

La Liturgia de la Eucaristía continúa mientras nos preparamos para recibir a Jesucristo en la comunión. Juntos rezamos el Padrenuestro. Nos damos el saludo de la paz. Decimos en voz alta o cantamos Cordero de Dios, pidiendo a Dios perdón y paz. Después el sacerdote parte la Hostia grande.

Cuando es el momento procedemos a comulgar. Cantamos para mostrar nuestra unidad con Cristo y unos con otros. Recibimos el Cuerpo y la Sangre de Cristo en la comunión.

Durante la última parte de la misa, el **Rito de Conclusión**, el sacerdote nos bendice. Después él o el diácono dicen estas palabras u otras parecidas: "Podéis ir en paz".

Hemos sido alimentados por la celebración de la Eucaristía. Ahora somos enviados a amar y servir al Señor y a los demás llevando la paz y el amor de Jesús a todos. Podemos compartir nuestro tiempo y talentos. Podemos cuidar de los necesitados, los pobres, los enfermos, los que no tienen familia. Como miembros de la Iglesia, somos llamados a compartir el evangelio de Jesucristo con todos a nuestro alrededor. Esto es lo que quiere decir vivir el mensaje de la Eucaristía que hemos celebrado y lo que significa ser seguidor de Cristo.

¿Cómo compartirás tu tiempo y talentos con otros esta semana?

¿Sabías?

La Iglesia nos recomienda comulgar cada vez que participemos en la misa. Para recibir la comunión debemos estar en estado de gracia. Si hemos cometido pecados serios debemos recibir primero el perdón de Dios en el sacramento de la Penitencia y Reconciliación.

La Iglesia requiere que comulguemos por lo menos una vez al año. Cuando comulgamos nuestra unidad con Jesucristo y la Iglesia, el cuerpo de Cristo, se fortalece.

San Andrés

3 We receive Holy Communion, and we are sent to bring God's love to others.

The Liturgy of the Eucharist continues as we prepare to receive Jesus Christ in Holy Communion. Together we pray the Lord's Prayer, also called the Our Father. We offer a Sign of Peace to each other. We say aloud or sing the Lamb of God, asking for God's mercy and peace. Then the priest breaks the large Host.

At the proper time we come forward to receive Holy Communion. We sing to show our unity with Christ and one another. We receive the Body and Blood of Christ in Holy Communion.

During the last part of Mass, the **Concluding Rites**, the priest blesses us. Then he or the deacon says these or similar words, "Go and announce the Gospel of the Lord."

We have been nourished by the celebration of the Eucharist. Now we are sent to love and serve the Lord each day by bringing the peace and love of Jesus to everyone we meet. We can share our time and talents. We can care for the poor, sick, and lonely people we see around us. As members of the Church, we are called to share the Gospel of Jesus Christ with those around us. This is what it means to live the message of the Eucharist we have celebrated, and what it means to be followers of Christ.

How will you share your time and talents with others this week?

Do You Know?

The Church urges us to receive Holy Communion each time we participate in the Mass. To receive Holy Communion we must be in the state of grace. Therefore, if we have committed serious sin, we must first receive God's forgiveness in the Sacrament of Penance.

The Church requires us to receive Communion at least once a year. When we receive Communion, our unity with Jesus Christ and the Church, the Body of Christ, is strengthened.

Repaso

Completa cada una de las siguientes oraciones escribiendo la parte correcta de la misa.

1. Los miembros de la asamblea presentan sus ofrendas de pan y vino durante ______________________.
2. Rezamos y cantamos el gloria durante ______________________.
3. Somos enviados a servir a Dios y a los demás durante ______________________.
4. Pan y vino se convierten en el Cuerpo y la Sangre de Cristo durante ______________________.
5. El sacerdote o el diácono proclama el evangelio durante ______________________.

Conversen sobre lo siguiente:

6. Explica lo que sucede durante los Ritos Iniciales de la misa.
7. Explica lo que sucede en la Liturgia de la Palabra.
8. Explica lo que sucede durante la Liturgia de la Eucaristía.

Vocabulario

asamblea (p. 100)
Ritos Iniciales (p. 100)
Liturgia de la Palabra (p. 100)
Liturgia de la Eucaristía (p. 102)
Rito de Conclusión (p. 104)

Con mi familia

Compartiendo nuestra fe

1. **En la misa alabamos a Dios y escuchamos su palabra.**
2. **Llevamos las ofrendas y empieza la plegaria eucarística.**
3. **Comulgamos y somos enviados a llevar el amor de Dios a otros.**

REZANDO JUNTOS

Al inicio de la Liturgia de la Eucaristía, el sacerdote nos invita a levantar nuestros corazones, respondemos: "Lo tenemos levantado hacia el Señor". Después alabamos a Dios rezando o cantando la siguiente oración:

"Santo, Santo, Santo es el Señor Dios del universo.
Llenos están el cielo y la tierra de tu gloria.
Hosanna en el cielo.
Bendito el que viene en nombre del Señor.
Hosanna en el cielo".

Viviendo nuestra fe

En el Rito de Conclusión de la misa somos enviados a vivir el mensaje de la Eucaristía. Escribe en que formas puedes hacerlo.

En la casa

____

En la escuela

____

En el vecindario

____

Review

Complete the following sentences by writing the correct part of the Mass.

1. Members of the assembly present gifts of bread and wine during the ______________________.
2. We sing or say the Gloria during the ______________________.
3. We are sent to serve God and others during the ______________________.
4. Bread and wine become the Body and Blood of Christ during the ______________________.
5. The priest or deacon proclaims the Gospel during the ______________________.

Discuss the following.

6. Explain what happens during the Introductory Rites of Mass.
7. Explain what happens during the Liturgy of the Word.
8. Explain what happens during the Liturgy of the Eucharist.

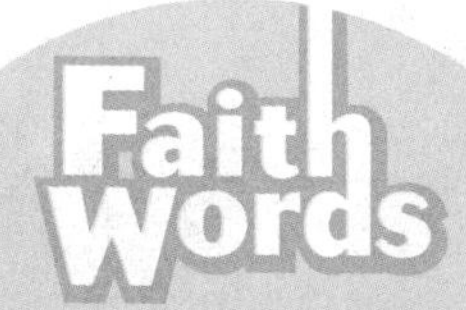

assembly (page 101)
Introductory Rites (page 101)
Liturgy of the Word (page 101)
Liturgy of the Eucharist (page 103)
Concluding Rites (page 105)

With My Family

Sharing Our Faith

1. **At Mass we praise God, and we listen to his Word.**
2. **We offer gifts, and the Eucharistic Prayer begins.**
3. **We receive Holy Communion, and we are sent to bring God's love to others.**

PRAYING TOGETHER

At the beginning of the Liturgy of the Eucharist, the priest invites us to lift up our hearts. We respond, "We lift them up to the Lord." Then we praise God by praying or singing:

Holy, Holy, Holy Lord God of hosts.
Heaven and earth are full of your glory.
Hosanna in the highest.
Blessed is he who comes in
the name of the Lord.
Hosanna in the highest.

Living Our Faith

In the Concluding Rites at Mass, we are sent to live out the message of the Eucharist. Write ways you can do this.

at home

____

at school

____

in the neighborhood

____

ALGO más que debes saber

LA LITURGIA La liturgia es la oración pública y oficial de la Iglesia. La liturgia incluye la celebración de la Eucaristía y los demás sacramentos. También incluye la Liturgia de las Horas. En toda celebración litúrgica llevamos nuestro propio ser y nuestra relación con Dios. Nos unimos como amigos y discípulos de Jesús, igual que los primeros seguidores de Jesús. Proclamamos la buena nueva de Jesucristo y celebramos su muerte y resurrección. Donde quiera que la liturgia es celebrada, toda la Iglesia celebra.

NUESTRA VOCACION COMUN Una vocación es un llamado a una forma de vida particular. Como bautizado cristiano compartimos una vocación común. Nuestra vocación común es un llamado de Dios a crecer en santidad y predicar el mensaje de la vida y la obra salvadora de Jesús.

SACERDOCIO DE LOS FIELES Cuando Jesús fue bautizado por Juan el Bautista, el Espíritu del Señor vino sobre él. Esta unción bautismal del Espíritu da a conocer que Jesucristo es el Mesías, el Ungido. La relación de Jesús con Dios, su Padre, fue revelada y Dios, el Espíritu Santo, vino sobre Jesús, haciéndolo sacerdote, profeta y rey.

En el sacramento del Bautismo, también nosotros somos ungidos. Somos llamados a compartir la misión sacerdotal de Cristo. Como miembros bautizados de la Iglesia, compartimos el sacerdocio de Cristo. El sacerdocio no es una ordenación sacerdotal sino que se conoce como el *sacerdocio de los fieles*.

Al compartir del sacerdocio de los fieles podemos participar en la liturgia, especialmente la Eucaristía, en la oración y en ofrecer nuestras vidas a Dios.

MORE for You to Know

THE LITURGY The liturgy is the official public prayer of the Church. The liturgy includes the celebration of the Eucharist and the other sacraments. It also includes the Liturgy of the Hours. We each bring our own selves and our relationship with God to every celebration of the liturgy. We join together as Jesus' true friends and disciples, just as Jesus' first followers did. We proclaim the Good News of Jesus Christ and celebrate his Death and Resurrection. Whenever the liturgy is celebrated, the whole Church is celebrating.

OUR COMMON VOCATION A vocation is a calling to a way of life. As baptized Christians we share a common vocation. Our common vocation is a call from God to grow in holiness and to spread the message of Jesus' life and saving work.

PRIESTHOOD OF THE FAITHFUL When Jesus was baptized by John the Baptist, the Spirit of the Lord came upon him. This baptismal anointing by the Spirit made it known that Jesus Christ is the Messiah, the Anointed One. Jesus' relationship with God his Father was revealed, and God the Holy Spirit came upon Jesus, marking him as Priest, Prophet, and King.

In the Sacrament of Baptism, we too are anointed. We are called to share in Christ's priestly mission. As baptized members of the Church, we share in Christ's priesthood. This priesthood is not the ordained priesthood but is known as the *priesthood of the faithful*.

As sharers in the priesthood of the faithful, we can all participate in the liturgy, especially the Eucharist, in prayer, and in offering our lives to God.

UNIDAD 3 Evaluación

Escribe la letra que define cada parte de la misa.

1. _____ Liturgia de la Eucaristía
2. _____ Liturgia de la Palabra
3. _____ Ritos Iniciales
4. _____ Ritos de Conclusión

a. El sacerdote nos bendice y vamos a llevar la paz y el amor de Dios a los demás.

b. Nos preparamos para escuchar la palabra de Dios y celebrar la Eucaristía en comunidad.

c. El pan y el vino se convierten en el Cuerpo y la Sangre de Cristo que recibimos en la comunión.

d. Escuchamos y respondemos a la palabra de Dios.

Escribe el término que corresponde a la definición.

5. Durante este sacramento el obispo dice: "Recibe el don del Espíritu Santo". ______________________

6. En el Bautismo y en la Confirmación somos ungidos con ______________________ .

7. Es el acto de adoración más importante de la Iglesia. ______________________

8. Por medio de este sacramento nos hacemos hijos de Dios y somos librados del pecado. ______________________

9. En este sacramento recibimos el Cuerpo y la Sangre de Cristo. ______________________

Escribe la respuesta en una hoja de papel.

10. ¿Qué sucede durante la oración eucarística en la misa?

11. Escribe dos razones porque el sacramento del Bautismo es tan importante.

12. Nombra dos formas de participar en la misa.

13. ¿Cuáles son dos formas en que podemos amar y servir al Señor?

14. ¿Qué acción relaciona los sacramentos del Bautismo y la Confirmación?

15. ¿Por qué crees que la celebración de la Eucaristía, la misa, es el centro de la vida de la Iglesia?

UNIT 3 Assessment

Write the letter that best defines each term.

1. _____ Liturgy of the Eucharist
2. _____ Liturgy of the Word
3. _____ Introductory Rites
4. _____ Concluding Rites

a. The priest blesses us, and we go out to bring God's peace and love to others.

b. We prepare to hear God's Word, and to celebrate the Eucharist as a community.

c. The bread and wine become the Body and Blood of Christ which we receive in Holy Communion.

d. We listen and respond to God's Word.

Write the term that best fits each statement.

5. During this sacrament the bishop says, "Be sealed with the Gift of the Holy Spirit." ____________________
6. We are anointed with this oil at both Baptism and Confirmation. ____________________
7. This is the Church's great act of worship. ____________________
8. Through this sacrament, we become children of God and are freed from sin. ____________________
9. In this sacrament we receive the Body and Blood of Christ. ____________________

Write your responses on a separate piece of paper.

10. What happens during the Eucharistic Prayer of the Mass?
11. Write two reasons why the Sacrament of Baptism is so important.
12. Name two ways we participate at Mass.
13. What are some ways we can love and serve the Lord?
14. What action connects the Sacraments of Baptism and Confirmation?
15. Why is the celebration of the Eucharist, the Mass, at the center of the Church's life?

10 Los Diez Mandamientos nos guían

Cumpliendo leyes

¿Qué reglas pueden estar cumpliendo los niños en las fotos?

¿Cuáles son las reglas que tienes que cumplir en tu casa, la escuela y el vecindario?

¿Cómo nos ayudan las leyes y reglas?

Escribe o dibújate cumpliendo esas reglas.

Aprenderemos...

1 Dios nos dio los Diez Mandamientos para ayudarnos a vivir en su amor.

2 Los tres primeros mandamientos nos piden amar a Dios.

3 Del cuarto al décimo mandamientos se nos pide amarnos y amar a los demás como a nosotros mismos.

The Ten Commandments Guide Us

10

Following Rules

What rules might the children in the photographs be following?

What are some rules that you follow at home? in school? in the neighborhood?

How do rules or laws help us?

Write about or draw yourself following one of these rules.

We Will Learn...

1 God gave us the Ten Commandments to help us to live in his love.

2 The first three commandments call us to love God.

3 The Fourth through the Tenth Commandments call us to love others and ourselves.

1 Dios nos dio los Diez Mandamientos para ayudarnos a vivir en su amor.

En la Biblia leemos que Dios dio diez mandamientos o leyes al pueblo de Israel para su seguridad y libertad. Esta es la historia de los Diez Mandamientos.

Hace mucho tiempo, el pueblo de Israel era esclavo de Egipto. Pero Dios había escogido a los israelitas para ser su pueblo—el pueblo que conocería y adoraría a un solo Dios. Esto no era fácil para los israelitas porque eran esclavos de los egipcios, quienes adoraban muchos dioses falsos. Para ayudar a los israelitas, Dios les dio un gran líder llamado Moisés.

Por medio de Moisés Dios ayudó a los israelitas a escapar de Egipto. El los guió con seguridad por el desierto hasta la libertad. A cambio, Dios pidió a los israelitas participar en un convenio especial con él, una alianza. **Alianza** es un acuerdo especial entre Dios y su pueblo. Dios le dijo: "Si me obedecen fielmente y guardan mi alianza, ustedes serán el pueblo de mi propiedad entre todos los pueblos". (Exodo 19:5)

El pueblo prometió obedecer a Dios y cumplir la alianza. Dios dio a Moisés las leyes de la alianza llamadas **Diez Mandamientos.** Los Diez Mandamientos ayudarían al pueblo a ser fiel a Dios, a tener seguridad y a ser libre.

¿Cómo crees que los Diez Mandamientos nos ayudan a tener seguridad y libertad?

Los Diez Mandamientos	Lo que los mandamientos significan para nosotros
1. Yo soy el Señor, tu Dios. No tendrás otro Dios fuera de mí.	Dios es lo primero en nuestras vidas. Ni personas ni cosas pueden ser más importantes para nosotros que Dios.
2. No tomarás en vano el nombre del Señor, tu Dios.	Debemos respetar el nombre de Dios, de Jesús y de los lugares santos.
3. Acuérdate del sábado para santificarlo.	Debemos descansar y adorar a Dios los domingos y los días de precepto.
4. Honra a tu padre y a tu madre.	Debemos amar, honrar y obedecer a nuestros padres y los que nos cuidan.
5. No matarás.	Debemos respetar y cuidar el don de la vida.
6. No cometerás adulterio.	Debemos respetar nuestros cuerpos y el cuerpo de los demás, en pensamientos, palabras y obras.
7. No robarás.	No debemos destruir las pertenencias de los demás.
8. No darás falso testimonio contra tu prójimo.	Debemos respetar la verdad.
9. No desearás la mujer de tu prójimo.	Debemos proteger la santidad del matrimonio y lo sagrado de la sexualidad humana.
10. No desearás las pertenencias de tu prójimo.	Debemos respetar los derechos y las propiedades de los demás.

1 God gave us the Ten Commandments to help us to live in his love.

In the Bible we read that God gave the people of Israel the Ten Commandments, or laws, for their safety and freedom. This is the story of the Ten Commandments.

Thousands of years ago the people of Israel lived as slaves in Egypt. But God had chosen the Israelites to be his own people—the ones who would know and worship the one true God. This was hard for them because they were slaves of the Egyptians, who worshiped many false gods. To help the Israelites, God gave them a great leader named Moses.

Through Moses God helped the Israelites escape from Egypt. He led them to safety and freedom in the desert. In return God asked the Israelites to join in a special agreement, or covenant. A **covenant** is a special agreement between God and his people. God said, "If you hearken to my voice and keep my covenant, you shall be my special possession, dearer to me than all other people" (Exodus 19:5).

The people promised to obey God and keep the covenant. Then God gave Moses the laws of the covenant called the **Ten Commandments**. The Ten Commandments would help God's people to remain faithful to the one true God and to be truly safe and free.

How do you think the Ten Commandments help us to be safe and free?

The Ten Commandments	What the Commandments Mean for Us
1. I am the LORD your God: you shall not have strange gods before me.	God must come first in our lives. No person and no thing can be more important to us than God.
2. You shall not take the name of the LORD your God in vain.	We must respect God's name, the name of Jesus, and holy places.
3. Remember to keep holy the LORD'S Day.	We must worship God on Sundays and holy days, and must rest from work.
4. Honor your father and your mother.	We must love, honor, and obey our parents and guardians.
5. You shall not kill.	We must respect and care for the gift of life.
6. You shall not commit adultery.	We must respect our own bodies and the bodies of others in thought, word, and deed.
7. You shall not steal.	We must not take or destroy what belongs to others.
8. You shall not bear false witness against your neighbor.	We must respect the truth.
9. You shall not covet your neighbor's wife.	We must protect the holiness of marriage and the sacredness of human sexuality.
10. You shall not covet your neighbor's goods.	We must respect the rights and property of others.

Los tres primeros mandamientos nos piden amar a Dios.

El primer mandamiento dice que Dios debe estar por encima de todos y todo en nuestras vidas. El segundo nos recuerda que el nombre de Dios es santo y que debemos usarlo con respeto y amor.

El tercer mandamiento nos dice que debemos mantener santo el día del Señor. Para los católicos ese día es el domingo porque Jesús resucitó un domingo. Los domingos nos reunimos en nuestra parroquia para celebrar la misa. Participar en la misa es la forma más importante de mantener santo el día del Señor porque el sacramento de la Eucaristía es el verdadero centro de la vida cristiana. Los católicos debemos participar de la misa los domingos o los sábados en la tarde y lo días de precepto. (La lista de los días de precepto está en la página 94). También debemos descansar el domingo y no hacer trabajos pesados ni otras actividades que nos impidan mantener santo el día del Señor.

¿Cómo al cumplir los tres primeros mandamientos muestras que amas a Dios?

¿Sabías?

Cuando Jesús estaba creciendo en Nazaret, estudió las enseñanzas del Antiguo Testamento. El respetó la alianza de Dios y su pueblo. El estudió los Diez Mandamientos y los obedeció. Cuando Jesús creció, sus seguidores vieron que él vivía de acuerdo a la alianza. Un día cuando Jesús enseñaba explicó: "No piensen que he venido a abolir las enseñanzas de la ley y los profetas, no he venido a abolirlas, sino a llevarlas hasta sus últimas consecuencias". (Mateo 5:17)

2 The first three commandments call us to love God.

The First Commandment states that God must come before everyone and everything else in our lives. The Second Commandment reminds us that God's name is holy and must be used with love and respect.

The Third Commandment states that we are to keep holy the Lord's Day. For Catholics, Sunday is the Lord's Day because it was on a Sunday that Jesus Christ rose from the dead. On Sundays we gather with our parish community to celebrate the Mass. Participating in the Mass is the most important way of keeping the Lord's Day holy because the Sacrament of the Eucharist is at the very center of the Christian life. Catholics must participate in Mass on Sunday or Saturday evening and on Holy Days of Obligation. (See list on page 95.)

On Sunday we must also rest from work or other activities so that we can keep the Lord's Day holy.

How does keeping the first three commandments show that you love God?

Do You Know?

When Jesus was growing up in Nazareth, he studied the teachings of the Old Testament. He treasured the covenant God made with his people. He studied the Ten Commandments and obeyed them. When Jesus was older, his followers saw that Jesus lived according to the covenant. One day as Jesus was teaching, he explained, "Do not think that I have come to abolish the law or the prophets. I have come not to abolish but to fulfill" (Matthew 5:17).

3 Del cuarto al décimo mandamientos se nos pide amarnos y amar a los demás como a nosotros mismos.

El cuarto mandamiento nos pide honrar a nuestros padres. Nuestros padres nos dieron la vida. Les debemos amor, respeto y cuidado. Debemos también mostrar respeto por los que nos cuidan, nuestros maestros, las personas mayores y a todo aquel que esté en posición de autoridad.

El quinto mandamiento nos recuerda que toda vida es un don de Dios, desde el momento de la concepción hasta la muerte natural. El quinto mandamiento prohíbe el aborto, el suicidio y asesinato, que incluye la eutanasia. No debemos hacer cosas que hieran a los demás o nuestros cuerpos y mentes.

El sexto y el noveno mandamientos nos recuerdan que nuestra sexualidad es sagrada. Debemos respetar nuestros cuerpos y el cuerpo de los demás, en pensamiento, palabras y obras.

El séptimo mandamiento prohíbe destruir o robar lo que pertenece a otro. Debemos devolver o reponer lo que hemos robado a otro. El décimo mandamiento prohíbe tener envidias, celos de las pertenencias de otros.

El octavo mandamiento nos pide decir la verdad. Este prohíbe la mentira y el chisme, porque hieren a los demás. Si hemos manchado el buen nombre de alguien debemos tratar de limpiarlo.

Los Diez Mandamientos nos muestran como ser fieles a Dios en esta vida para alcanzar la vida eterna. Los mandamientos nos ayudan a vivir en paz y en amor. Dios nos dio esas leyes para nuestra seguridad y libertad.

¿Cómo al cumplir los siete últimos mandamientos muestras que amas a Dios, a ti mismo y a los demás?

3 The Fourth through the Tenth Commandments call us to love others and ourselves.

The Fourth Commandment states that we are to honor our parents. Our parents have given us life. We owe them love, respect, and care. We should also show respect for our guardians, our teachers, older members of the community, and all those in positions of authority.

The Fifth Commandment reminds us that all life is a gift from God, from the moment of conception until natural death. Thus, the Fifth Commandment forbids abortion, suicide, and murder, which includes euthanasia. We must not do anything that would harm others or harm our own bodies and minds.

The Sixth and Ninth Commandments remind us that our human sexuality is something sacred. We must respect our bodies and the bodies of others in thought, word, and deed.

The Seventh Commandment forbids destroying or stealing what belongs to others. We must return items or repay others if we have taken their property. The Tenth Commandment forbids envy, or jealousy of what others own.

The Eighth Commandment requires us to tell the truth. It forbids lying and gossip that hurts others. If we have hurt the good name of others we must try to repair it.

The Ten Commandments show us how to remain faithful to God in this life and to attain eternal life. The commandments help us to live together in peace and love. God has given us these laws for our safety and our freedom.

How does keeping the Fourth through the Tenth Commandments show that you love God and others?

Repaso

Escribe *Verdad* o *Falso* en la línea al lado de la oración. Cambia la oración falsa en verdadera.

1. ____________ Por medio de Jesús Dios dirigió a los egipcios a la libertad.
2. ____________ Los católicos mantienen santo el domingo.
3. ____________ Cuando cumplimos los tres primeros mandamientos mostramos amor a Dios.
4. ____________ Dios nos dio los Diez Mandamientos para nuestra seguridad y libertad.

Conversa sobre lo siguiente:

5. ¿Cómo los israelitas mantuvieron la alianza con Dios?
6. ¿Cómo podemos mantener santo el día del Señor?
7. ¿Cuáles son algunas formas en que podemos mostrar amor a nosotros mismos y a los demás cuando cumplimos los mandamientos del cuarto al décimo?

Vocabulario

alianza (p. 114)

Diez Mandamientos (p. 114)

Con mi familia

Compartiendo nuestra fe

1. **Dios nos dio los Diez Mandamientos para ayudarnos a vivir en su amor.**
2. **Los tres primeros mandamientos nos piden amar a Dios.**
3. **Del cuarto al décimo mandamientos se nos pide amarnos y amar a los demás como a nosotros mismos.**

REZANDO JUNTOS

Usa esta oración para pedir a Dios te ayude a obedecer los mandamientos.

"Enséñame, Señor, el camino de tus normas, para que las siga.
Instrúyeme para que observe tu ley y la practique de todo corazón.
Guíame por el camino de tus mandatos, que son mi delicia.
Inclina mi corazón hacia tus preceptos, apártalo de la avaricia".

Salmo 119:33–36

Viviendo nuestra fe

Conversen sobre como las leyes de Dios nos dan libertad para vivir en paz y armonía con Dios y con los demás. Escojan dos de los mandamientos y nombren formas de cumplirlos en la casa, la escuela, el trabajo y el vecindario.

____

____

____

Conversen sobre como el cumplir esos mandamientos puede promover la paz y la armonía en sus vidas.

Review

Write *True* or *False* for the following sentences. On a separate piece of paper, change the false sentences to make them true.

1. ____________ Through Jesus, God led the Egyptians out of slavery.
2. ____________ Catholics keep Sunday as the Lord's Day.
3. ____________ When we keep the first three commandments, we are showing love for God.
4. ____________ God gave us the Ten Commandments for our safety and our freedom.

Discuss the following.

5. How did the Israelites keep their covenant with God?
6. What are ways we can keep the Lord's Day holy?
7. What are some ways we show love for ourselves and others by keeping the Fourth through the Tenth Commandments?

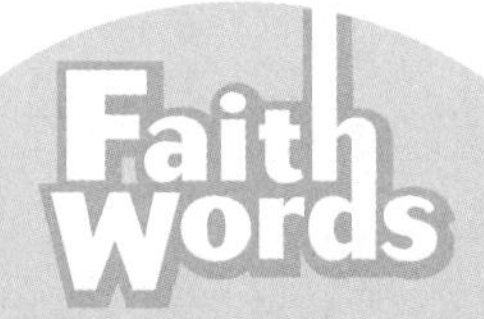

covenant (page 115)

Ten Commandments (page 115)

With My Family

Sharing Our Faith

1. **God gave us the Ten Commandments to help us to live in his love.**
2. **The first three commandments call us to love God.**
3. **The Fourth through the Tenth Commandments call us to love others and ourselves.**

PRAYING TOGETHER

Pray these words to ask for God's help in obeying God's law.

"Lord, teach me the way of your laws;
I shall observe them with care.
Give me insight to observe your teaching,
to keep it with all my heart.
Lead me in the path of your commands,
for that is my delight."

Psalm 119:33–35

Living Our Faith

Discuss how God's laws are meant to free us to live in peace and harmony with God and one another. Choose two of the commandments, and write ways of keeping each of these commandments at home, in school, at work, and in the neighborhood.

____

____

____

Talk together about following these ways, and how they can promote peace and harmony in your lives.

Jesús enseña la verdadera felicidad

Acampando

"Mañana es el gran día", dijo Carolina a su amiga Mia mientras almorzaban el viernes.

"Sí, mi mochila está preparada, estoy lista", respondió Mia. El sábado en la mañana las amigas iban a acampar por primera vez con el Club de Wilderness. Habían esperado esa ocasión durante meses.

Más tarde el teléfono de Carolina sonó. Era Mia. "No puedo ir al campamento", dijo. Explicó que a su abuelo lo habían internado en el hospital. Mia le dijo: "Mi mamá tiene que estar con él. Ella se sentirá mejor sabiendo que no estoy lejos. Me preocupa mi abuelo, y no creo que me divertiría en la excursión. Hablamos el lunes. Que lo pases bien".

Carolina contó a sus padres lo que Mia le había dicho. "Ahora no quiero ir al campamento. No me voy a divertir sin Mia".

El padre de Carolina le dijo: "Tengo una idea. Puedes invitar a Mia a pasar la noche del sábado con nosotros. Pueden acampar aquí".

La mamá de Carolina llamó a la mamá de Mia y le dijo: "Puede dejar a Mia en casa cuando vayas para el hospital. Voy a llamar a la líder de la tropa para explicarle".

Mia y su mamá se pusieron muy contentas con el plan.

El sábado las dos niñas prepararon la tienda. Hicieron una tarjeta grande para el abuelo de Mia. Después de la cena, cantaron canciones de campamento y contaron historias de misterio, Carolina dijo: "Es fabuloso, nos estamos divirtiendo en nuestro propio campamento".

Mia estuvo de acuerdo y dijo: "Carolina, estoy muy contenta de ser tu amiga. Tú y tu familia están ayudándonos. De seguro que al abuelo le va a gustar la tarjeta que le hicimos".

¿Alguna vez pasó algo que creías podía estropear tu felicidad pero en realidad no fue así?

¿Qué te hace sentir feliz?

¿Cómo puedes ayudar a otros a ser felices?

Para ti buena salud

Aprenderemos...

1 Jesús enseñó a sus discípulos como amar a Dios y a los demás.

2 Jesús nos enseña las Bienaventuranzas.

3 Somos llamados a vivir con fe, esperanza y caridad.

Jesus Teaches About True Happiness

11

Camping Out

"Tomorrow's the big day!" Caroline said to her friend Mia when they were having lunch on Friday.

"Yes! My sleeping bag is packed, and I'm ready to go," replied Mia. The two friends were going with the Junior Wilderness Club on their first overnight camping trip. They had been looking forward to it for months.

Later that evening the phone rang at Caroline's apartment. It was Mia. "I can't go camping tomorrow," she whispered. Mia explained that her grandfather had gone into the hospital. Mia said, "Mom is needed at the hospital. She would feel better if I were not so far away. I'm worried about Grandpop, and I don't think I would enjoy the trip. I'll talk to you on Monday. Have a good time."

Caroline told her parents what had happened. Caroline said, "I don't want to go camping now. I won't have any fun without Mia."

Caroline's dad said, "I have an idea. Why don't you invite Mia to spend Saturday night with us? You can camp out here.

Caroline's mom called Mia's mom and said, "You can drop off Mia on your way to the hospital for a camp out here. I'll call the troop leader and explain."

Both Mia and her mom were very happy about this plan.

On Saturday the two girls set up a tent in Caroline's room. They made a giant get-well card for Mia's grandfather. After supper, they sang camping songs, and told scary stories. Before the friends fell asleep, Caroline said, "This is great! I'm sure having fun at our own camp out."

Mia agreed and said, "Caroline, I am so happy that you are my friend. You and your family are helping me and my mom. And I'm sure Grandpop will like the card we made."

Has something ever happened that you thought would spoil your happiness but instead actually added to it?

What makes you happy?

How can you help others to be happy?

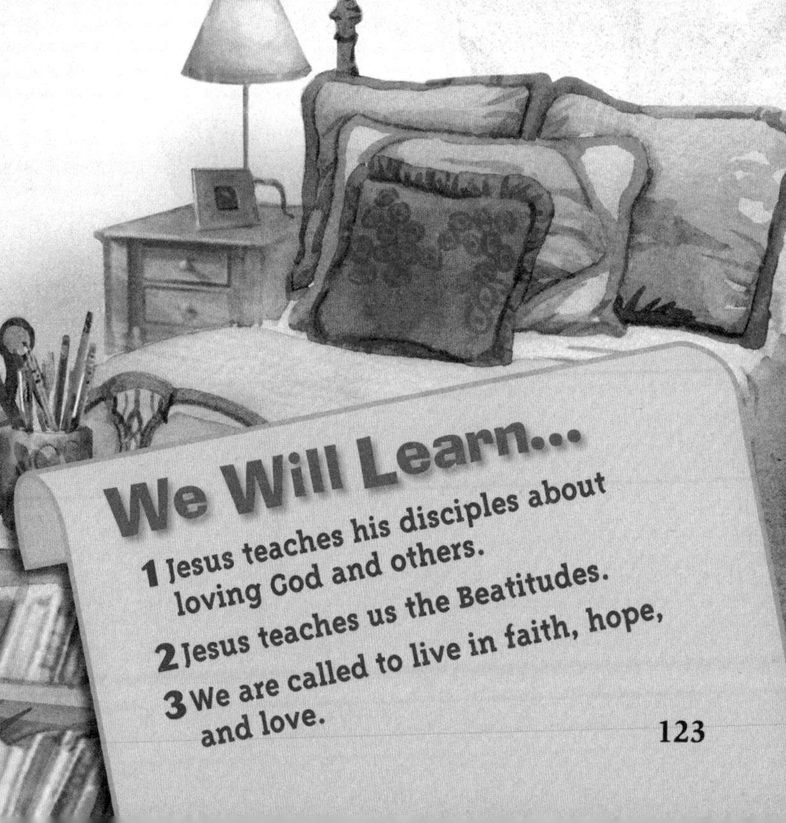

1 Jesús enseña a sus discípulos como amar a Dios y a los demás.

Jesús fue de pueblo en pueblo enseñando y mostrando a los pueblos cuanto Dios nos ama. El vivió de acuerdo a los Diez Mandamientos y pidió a sus discípulos seguir su ejemplo. Un día alguien le preguntó: "Maestro, ¿cuál es el mandamiento más importante de la ley?" Jesús le dijo: "Amarás al Señor tu Dios con todo tu corazón, con toda tu alma y con toda tu mente (Mateo 22:36–37). Jesús también le dijo al hombre: "Amarás a tu prójimo como a ti mismo". (Mateo 22:39)

Llamamos el Gran Mandamiento a esta respuesta de Jesús. Cumplir con el Gran Mandamiento nos ayuda a mostrar nuestro amor por Dios, por nosotros mismos y por los demás. Esto nos ayuda a encontrar la verdadera felicidad en el reino de Dios.

¿Cómo vas a cumplir el Gran Mandamiento?

1 Jesus teaches his disciples about loving God and others.

Jesus went from town to town teaching and showing people how much God loves us. He lived by the Ten Commandments and urged his disciples to follow his example. One day someone asked Jesus, "Teacher, which commandment in the law is the greatest?" Jesus said to the man, "You shall love the Lord, your God, with all your heart, with all your soul, and with all your mind" (Matthew 22:36–37). Jesus also told the man, "You shall love your neighbor as yourself" (Matthew 22:39).

We call Jesus' answer the Great Commandment. Following the Great Commandment helps us to show our love for God, ourselves, and others. It helps us find true happiness in the Kingdom of God.

How will you follow the Great Commandment?

2 Jesús nos enseña las Bienaventuranzas.

Muchas personas estaban reunidas para escuchar a Jesús. El enseñó las Bienaventuranzas. Las **Bienaventuranzas** son enseñanzas de Jesús que describen la forma de vivir como sus discípulos. Cuando vivimos como discípulos de Jesús encontramos la verdadera felicidad. En las Bienaventuranzas la palabra *dichoso* quiere decir "feliz". Es la clave para ver lo que significan.

Jesús nos enseñó las Bienaventuranzas como guía para ser verdaderamente felices y alcanzar nuestra meta final: la vida en el reino de Dios como sus hijos. Mira el cuadro en esta página. En el se nombran las Bienaventuranzas y explica como el observarlas nos ayuda a diseminar el reino de Dios.

¿Cómo podemos agradecer a Dios el enseñarnos como ser verdaderamente felices?

Las Bienaventuranzas	Lo que significan para nosotros
"Dichosos los pobres en el espíritu, porque de ellos es el reino de los cielos".	Somos "pobres de espíritu" cuando dependemos de Dios en todo. Nada ni nadie es más importante que Dios. Recordamos que Dios nos creó y que nuestra meta en la vida es ser feliz por siempre con él en el cielo.
"Dichosos los afligidos, porque Dios los consolará".	Estamos "afligidos" cuando estamos tristes por el pecado, el mal y el sufrimiento en el mundo. Confiamos en el consuelo de Dios.
"Dichosos los humildes, porque heredarán la tierra".	Somos "humildes" cuando mostramos respeto, bondad y paciencia con las personas, aun cuando no seamos respetados.
"Dichosos los que tienen hambre y sed de hacer la voluntad de Dios, porque Dios los saciará".	Cuando tenemos "hambre y sed de justicia" somos justos con los demás.
"Dichosos los misericordiosos, porque Dios tendrá misericordia de ellos".	Somos "misericordiosos" cuando estamos dispuestos a perdonar a otros y no guardamos rencor a los que nos ofenden.
"Dichosos los limpios de corazón, porque ellos verán a Dios".	Somos "limpios de corazón" cuando somos fieles a las enseñanzas de Dios y tratamos de ver a Dios en todas las personas y en todas las situaciones.
"Dichosos los que construyen la paz porque Dios los llamará sus hijos".	Somos "pacificadores" cuando respetamos a los demás y los ayudamos a hacer la paz.
"Dichosos los perseguidos por hacer la voluntad de Dios porque de ellos es el reino de los cielos". Mateo 5:3–10	Somos "perseguidos por hacer la voluntad de Dios" cuando somos ignorados o insultados por seguir a Jesús y vivimos como Dios quiere. Creemos que compartiremos el reino de Dios.

Jesus teaches us the Beatitudes.

One day many people were gathered to listen to Jesus teach. He taught them the Beatitudes. The **Beatitudes** are Jesus' teachings that describe the way to live as his disciples. When we live as Jesus' disciples, we can find true happiness. In the Beatitudes the word *blessed* means "happy." This is a good clue to what the Beatitudes are all about.

Jesus taught us the Beatitudes as guidelines for being truly happy and reaching our final goal: life in God's Kingdom forever as his sons and daughters. Look at the chart on this page. It names each Beatitude and states how observing each one helps us to spread the Kingdom of God.

How can we thank Jesus for teaching us ways to find true happiness?

The Beatitudes	What the Beatitudes Mean for Us
"Blessed are the poor in spirit, for theirs is the kingdom of heaven."	We are "poor in spirit" when we depend on God for everything. No person or thing is more important to us than God. We remember that God created us, and our goal in life is to be happy with him forever in Heaven.
"Blessed are they who mourn, for they will be comforted."	We "mourn" when we are sad because of the sin, evil, and suffering in the world. We trust that God will comfort us.
"Blessed are the meek, for they will inherit the land."	We are "meek" when we show respect, gentleness, and patience to all people, even those who do not respect us.
"Blessed are they who hunger and thirst for righteousness, for they will be satisfied."	We "hunger and thirst for righteousness" when we are fair and just toward others.
"Blessed are the merciful, for they will be shown mercy."	We are "merciful" when we are willing to forgive others, and do not take revenge on those who hurt us.
"Blessed are the clean of heart, for they will see God."	We are "clean of heart" when we are faithful to God's teachings, and try to see God in all people and in all situations.
"Blessed are the peacemakers, for they will be called children of God."	We are "peacemakers" when we treat others with love and respect, and when we help others to stop fighting and make peace.
"Blessed are they who are persecuted for the sake of righteousness, for theirs is the kingdom of heaven." Matthew 5:3–10	We are "persecuted for the sake of righteousness" when we are ignored or insulted for following Jesus' example and live as God wants. We believe that we will share in God's Kingdom.

3 Somos llamados a vivir con fe, esperanza y caridad.

Una **virtud** es un hábito que nos ayuda a actuar de acuerdo al amor de Dios. Las virtudes nos ayudan a guiar nuestra conducta con la ayuda de la gracia de Dios. Las virtudes de la fe, esperanza y caridad son virtudes *teologales*. Ellas son dones que vienen directamente de Dios.

- **Fe** es la virtud que nos permite creer en Dios y en lo que la Iglesia nos enseña. Vivimos como pueblo de *fe* al creer en todo lo que Dios nos ha revelado sobre sí mismo y todo lo que ha hecho. La fe es necesaria para la salvación. Profesamos nuestra fe en las palabras del Credo de los apóstoles y viviendo de acuerdo a las enseñanzas de Jesús y la Iglesia. El Espíritu Santo nos ayuda a tener fe y a desear una meta más alta, la vida con Dios para siempre en el cielo.
- **Esperanza** es la virtud que nos permite confiar en la promesa de Dios de compartir su vida con nosotros por siempre. Vivimos como pueblo de *esperanza* confiando en Jesús y sus promesas sobre el reino de Dios y la vida eterna.
- **Caridad**, o amor, es la más importante de las virtudes. Nos permite amar a Dios y a nuestro prójimo. Vivimos en *caridad*, amando a Dios sobre todas las cosas y a nuestro prójimo como a nosotros mismos.

Cuando vivimos con fe, esperanza y caridad, gradualmente entendemos y vivimos la felicidad que Jesús enseñó en las Bienaventuranzas.

Nombra una forma en que puedes ser una persona de fe, esperanza y caridad.

¿Sabías?

Por nuestro bautismo somos llamados a compartir la buena nueva de Jesucristo con lo que hacemos y decimos. Esto es llamado evangelización. La evangelización tiene lugar en nuestra vida diaria. Por medio de nuestras palabras y obras evangelizamos a los que no han escuchado el mensaje de Jesucristo. También evangelizamos a los que han escuchado el mensaje pero necesitan ser animados a vivir su don de la fe.

3 We are called to live in faith, hope, and love.

A **virtue** is a good habit that helps us to act according to God's love for us. Virtues help guide our conduct with the help of God's grace. The virtues of faith, hope, and charity are *theological virtues*. They are gifts given to us directly by God.

- **Faith** is the virtue that enables us to believe in God and all that the Church teaches us. We live as people of *faith* by believing in all that God has told us about himself and all that he has done. Faith is necessary in order to be saved. We profess our faith in the words of the Apostles' Creed and by living according to the teachings of Jesus Christ and the Church. The Holy Spirit helps us to have faith in God and to strive for our greatest goal, life forever with God in Heaven.
- **Hope** is the virtue that enables us to trust in God's promise to share his life with us forever. We live as people of *hope* by trusting in Jesus and his promises of the Kingdom of God and of eternal life.
- **Charity**, or love, is the greatest of all virtues. It enables us to love God and to love our neighbor. We live as people of *charity*, or love, by loving God above all things and our neighbors as ourselves.

When we live with faith, hope, and charity, we gradually come to understand and live the happiness that Jesus was teaching in the Beatitudes.

Name one way you can be a person of faith, a person of hope, and a person of charity.

Do You Know?

By our Baptism we are all called to share the Good News of Jesus Christ by what we say and do. This is known as *evangelization.* Evangelization takes place in our everyday lives. Through our words and actions we evangelize those who have not heard the message of Jesus Christ. We can also evangelize those who have heard the message but need encouragement to live out the gift of faith that is theirs.

Repaso

Llena los espacios en blanco.

1. En las Bienaventuranzas la palabra ________________ significa "feliz".
2. Las Bienaventuranzas son enseñanzas de Jesús que describen la forma de vivir como sus ________________.
3. Una ____________ es un hábito bueno que nos ayuda a vivir de acuerdo al amor de Dios en nosotros.
4. Cumplir el Gran Mandamiento nos ayuda a mostrar nuestro amor por ______________ y ______________.

Conversa sobre lo siguiente:

5. Escoge una de las bienaventuranzas y explica lo que significa.
6. ¿Cómo las virtudes de fe, esperanza y caridad nos ayudan a vivir como discípulo de Jesús?

Vocabulario

Bienaventuranzas (p. 126)
virtud (p. 128)
fe (p. 128)
esperanza (p. 128)
caridad (p. 128)

Con mi familia

Compartiendo nuestra fe

1. **Jesús enseña a sus discípulos como amar a Dios y a los demás.**
2. **Jesús nos enseña las Bienaventuranzas.**
3. **Somos llamados a vivir con fe, esperanza y caridad.**

REZANDO JUNTOS

La siguiente es una oración tradicional de la Iglesia. Léela y reflexiona en el significado de las palabras. Considera rezarla todos los días esta semana.

Acto de caridad

Señor, tú lo sabes todo; tú sabes que te quiero. Que siempre me mantenga en ese amor cumpliendo tus mandamientos, amándonos unos a otros como tú nos has amado, para que compartamos tu alegría y así nuestra alegría sea completa. Amén.

Viviendo nuestra fe

En familia identifiquen personas sobre las que hayan leído y que han vivido de acuerdo a las Bienaventuranzas. Despues pregunta a cada miembro de la familia lo que puede hacer para vivir las "Bienaventuranzas" hoy. Escribe algunas formas en las líneas.

____

____

____

____

Review

Fill in the blanks.

1. In the Beatitudes the word ________________ means "happy."
2. The Beatitudes are teachings of Jesus that describe the way to live as his ________________.
3. A ________________ is a good habit that helps us to act according to God's love for us.
4. Following the Great Commandment helps us to show our love for ______________, ________________, and ________________.

Discuss the following.

5. Choose one of the Beatitudes and explain what it means.
6. How do the virtues of faith, hope, and charity help us to live as disciples of Jesus?

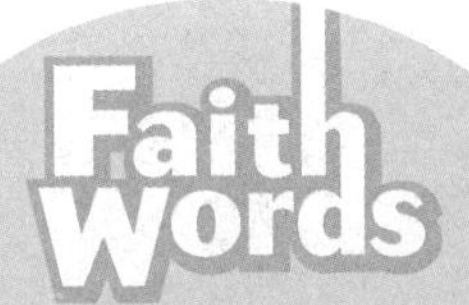

Beatitudes (page 127)
virtue (page 129)
faith (page 129)
hope (page 129)
charity (page 129)

With My Family

Sharing Our Faith

1. Jesus teaches his disciples about loving God and others.
2. Jesus teaches us the Beatitudes.
3. We are called to live in faith, hope, and love.

PRAYING TOGETHER

The following is a traditional prayer of the Church. Read and reflect on the meaning of the words. Pray these words every day this week.

An Act of Love

O Lord God, I love you above all things and I love my neighbor for your sake because you are the highest, infinite and perfect good, worthy of all my love. In this love I intend to live and die. Amen.

Living Our Faith

As a family, identify people you know or have read about who live or lived according to the Beatitudes. Then ask each family member to decide what he or she can do to be more of a "Beatitude person" today. Write some ways here.

____

____

____

____

12 Dios nos da perdón y paz

Buenos amigos

Ayer cuando Carlos llegó de la escuela, su hermana mayor, Gabriela, podía ver que algo había sucedido. Carlos se sentó en una silla en la sala.

Gabriela le preguntó: "¿Qué pasa Carlos?"

"Me siento mal por algo que pasó en la escuela", contestó.

Carlos le explicó lo que había pasado. "Cuando estábamos en la biblioteca esta mañana, la Sra. Pérez le pidió a Adán que le ayudara a mover algunos libros. Adán tomó muchos libros juntos y se les cayeron al piso. Todos nos reímos de Adán. Nadie le ayudó a recoger los libros".

Gabriela le dijo: "Adán es tu mejor amigo. ¿No crees que heriste sus sentimientos?"

Carlos dijo: "Creo que Adán se sintió mal. Teddy y yo lo llamamos para que se sentara a almorzar con nosotros, pero él no quiso. No tuve oportunidad de hablar con él a la salida. Realmente creo que lo desilusioné. ¿Qué crees que debo hacer?"

Gabriela le dijo que llamara a Adán. Carlos lo hizo:

Escribe lo que crees que los dos amigos se dijeron:

Carlos: ________________________________

Adán: ________________________________

¿Te has encontrado en una situación parecida a la de Carlos y Adán? ¿Qué hiciste?

____

____

Aprenderemos...

1. Jesús nos enseñó sobre el amor y el perdón de Dios.
2. Celebramos el sacramento de la Penitencia y Reconciliación
3. En el sacramento de la Penitencia y Reconciliación recibimos la paz de Cristo.

God Gives Us Forgiveness and Peace

12

Best Friends

When Carlos came home from school, his older sister Gabrielle could tell that something was wrong. Carlos just sat on the chair in the living room.

Gabrielle asked, "What's wrong, Carlos?"

Then Carlos explained what happened. He told Gabrielle, "When our class was in the library this morning, Mrs. Fisher asked Adam to help her move some books. Adam picked up too many books at one time. They slipped out of his hand and fell onto the floor. Everybody laughed at Adam. Nobody helped him pick up the books."

Gabrielle said, "Adam is your best friend. Do you think you hurt his feelings?"

Carlos said, "I think Adam did feel hurt. Teddy and I called him over to our lunch table, but he didn't sit with us. And I didn't get a chance to talk to him after school. I really think I let Adam down. What do you think I should do?"

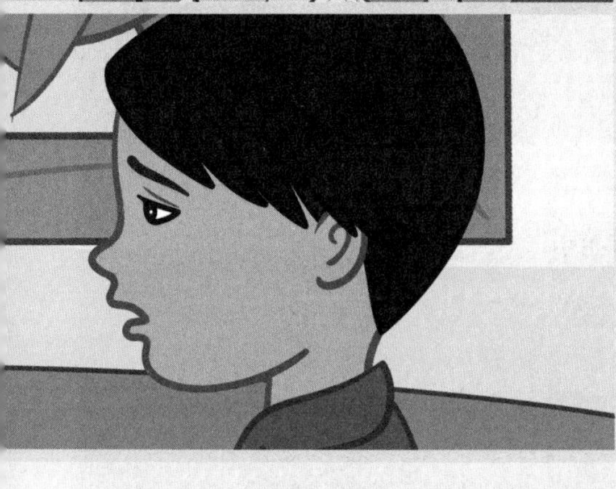

Gabrielle told Carlos to call Adam. And he did. Write what you think the two friends said to each other.

Carlos: ______________________________

Adam: ______________________________

Have you ever been in the same kind of situation as Carlos or Adam? What did you do?

____

____

We Will Learn...

1. Jesus taught us about God's love and forgiveness.
2. We celebrate the Sacrament of Penance and Reconciliation.
3. In the Sacrament of Penance we receive Christ's peace.

Después del Bautismo, algunas veces tomamos decisiones que no muestran amor por Dios o los demás, o por nosotros mismos, igual que como sucedió miles de años atrás con los que lo siguieron. Jesús perdona hoy a los que se arrepienten verdaderamente. El hace eso por medio de la Iglesia en el sacramento de la Penitencia y Reconciliación. El sacramento de la Penitencia y Reconciliación es también llamado sacramento de conversión, penitencia, confesión, perdón y reconciliación.

¿Qué significa reconciliarse con Dios?

1 Jesús nos enseñó sobre el amor y el perdón de Dios.

Por la forma en que vivió y las cosas que hizo, Jesús ayudó al pueblo a buscar a Dios, su Padre, y a cumplir la ley de Dios. Jesús quería que el pueblo se alejara del pecado y se acercara a Dios.

Durante su ministerio Jesús ayudó a sus seguidores a buscar a Dios, su Padre, con confianza. El los llamó a la conversión. **Conversión** es volverse a Dios con todo el corazón. Jesús hizo posible su conversión perdonando los pecados de la gente. La gente se reconcilió con Dios.

Como los seguidores de Jesús hoy, recibimos el perdón de Dios en el sacramento del Bautismo. Somos librados del pecado original y perdonados de todo pecado personal que hayamos cometido. Empezamos nuestra nueva vida en Jesucristo.

¿Sabías?

Nos preparamos para celebrar el sacramento de la Penitencia y Reconciliación haciendo un examen de conciencia. Pensamos en las decisiones que hemos tomado y vemos si hemos cumplido o no con la ley de Dios y las enseñanzas y ejemplos de Jesús. Esto lo hacemos para juzgar nuestras decisiones y acciones y saber lo que necesitamos confesar. Pecados serios deben confesarse porque ellos nos alejan completamente de Dios. Esos pecados deben ser perdonados para que podamos de nuevo compartir en la gracia de Dios. También confesamos nuestros pecados menos graves. El perdón de los pecados fortalece nuestra debilitada amistad con Dios y nos ayuda a continuar amando a Dios y a los demás. Si cometemos pecados serios debemos recibir el perdón de Dios en el sacramento de la Penitencia antes de comulgar.

1 Jesus taught us about God's love and forgiveness.

By the way he lived and the things he did, Jesus helped people to turn to God his Father and to follow God's law. Jesus wanted people to turn away from sin and grow closer to God.

During his ministry Jesus helped his followers turn to God his Father with love and trust. He called them to conversion. **Conversion** is turning back to God with all one's heart. Jesus made their conversion possible by actually forgiving people's sins. They were then reconciled, or brought together again, with God.

As Jesus' followers today, we first receive God's forgiveness in the Sacrament of Baptism. We are freed from Original Sin and forgiven any personal sins we may have committed. We begin our new life in Jesus Christ.

Yet, after Baptism, we sometimes make choices that do not show love for God, ourselves, and others, and just as he did two thousand years ago with those who followed him, Jesus today forgives those who are truly sorry. He does this through the Church in the Sacrament of Penance and Reconciliation. The Sacrament of Penance and Reconciliation has been called the sacrament of conversion, of Penance, of confession, of forgiveness, and of Reconciliation.

What does it mean to be reconciled with God?

Do You Know?

We prepare to celebrate the Sacrament of Penance by making an examination of conscience. We think about our choices and determine whether or not we have followed God's law and the teachings and example of Jesus. Doing this helps us to judge our decisions and actions and to know what we need to confess. Serious sins need to be confessed because they completely break our friendship with God. These sins must be forgiven so that we can again share in God's grace. We also confess our less serious sins. The forgiveness of these sins strengthens our weakened friendship with God and helps us continue loving God and others. If we have committed serious sin, we must receive God's forgiveness in the Sacrament of Penance before receiving Holy Communion.

2 Celebramos el sacramento de la Penitencia y Reconciliación.

Nuestra **conciencia** es nuestra habilidad de ver la diferencia entre lo bueno y lo malo, el mal y el bien. Cuando pensamos y hacemos cosas que nos alejan de Dios fallamos en hacer lo bueno que debemos hacer, pecamos. **Pecado** es cualquier pensamiento, palabra, obra y omisión contra la ley de Dios.

Cada pecado debilita nuestra amistad con Dios y pueden llevar a hábitos pecaminosos. Pecados menos serios, *pecados veniales*, no nos alejan completamente de Dios. Los pecados serios o *mortales*, nos alejan completamente de Dios porque son decisiones que hemos tomado libremente de hacer lo que sabemos es malo. Si no confesamos nuestros pecados mortales antes de morir nos arriesgamos a separarnos de Dios eternamente, lo que llamamos *infierno*.

Sin embargo, Dios nunca deja de amarnos, aun cuando pequemos. El siempre está dispuesto a perdonarnos si estamos arrepentidos. Podemos recibir el perdón de Dios en el sacramento de la Penitencia y Reconciliación. El sacramento tiene cuatro partes principales:

- **Contrición**—expresamos nuestro arrepentimiento. Rezamos un acto de contrición como señal de nuestro arrepentimiento y nuestra intención de no volver a pecar.
- **Confesión**—confesamos, decimos, nuestros pecados al sacerdote.
- **Penitencia**—el sacerdote nos da una penitencia, una acción que muestra que estamos arrepentidos de nuestros pecados. Es algunas veces una oración o un servicio. Aceptar la penitencia es señal de que volvemos a Dios y estamos dispuestos a cambiar nuestras vidas.
- **Absolución**—nuestros pecados son perdonados. En nombre de Jesucristo y de la Iglesia y por medio del poder del Espíritu Santo, un sacerdote otorga el perdón de los pecados. Como señal de que nuestros pecados han sido perdonados, el sacerdote extiende su mano y reza las palabras de la absolución. Respondemos: "amén".

Ya celebremos el sacramento de la Penitencia individual o en comunidad, siempre confesamos al sacerdote nuestros pecados y recibimos de él la absolución individualmente. Cada vez que celebramos el sacramento de la Penitencia, ya sea individualmente o en grupo, nos unimos a toda la Iglesia.

En el sacramento de la Penitencia el sacerdote, quien ha recibido el sacramento del Orden, actúa en nombre de Jesucristo y la Iglesia y por el poder del Espíritu Santo. Es importante saber que sólo un sacerdote puede escuchar nuestra confesión y perdonar nuestros pecados. El sacerdote nunca, bajo ninguna circunstancia, puede decir a nadie lo que ha escuchado bajo confesión. El prometió mantener el secreto de confesión.

¿Qué hace el sacerdote como señal de que estamos perdonados cuando nos da la absolución?

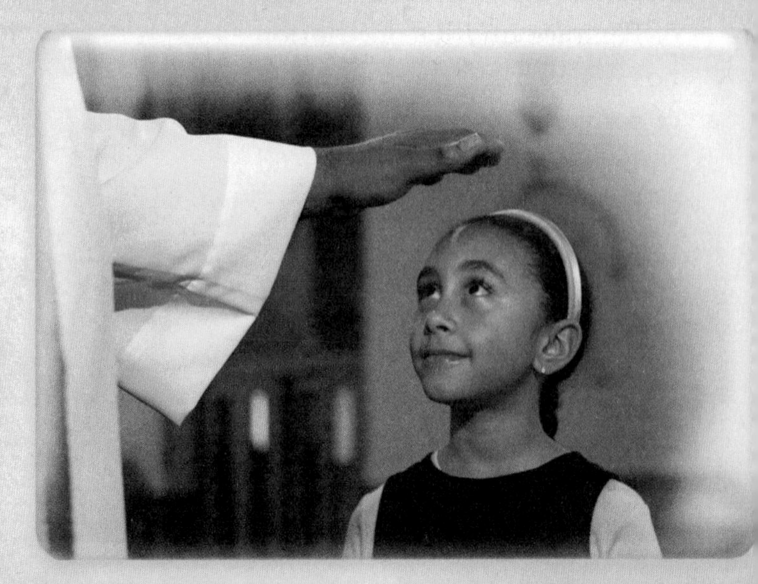

We celebrate the Sacrament of Penance and Reconciliation.

Our **conscience** is our ability to know the difference between good and evil, right and wrong. When we think and do things that lead us away from God or fail to do the good that we can do, we sin. **Sin** is a thought, word, deed, or omission against God's law.

Every sin weakens our friendship with God and can lead to sinful habits. Less serious sin, *venial sin,* does not turn us completely away from God. Very serious sin, *mortal sin*, does completely turn us away from God because it is a choice that we freely make to do something that we know is seriously wrong. If we do not confess mortal sins before we die, we risk eternal separation from God which is called *Hell*.

God never stops loving us, even when we sin. He will always forgive us if we are sorry. We can receive God's forgiveness in the Sacrament of Penance. The sacrament has four main parts:

- **Contrition**—We express our heartfelt sorrow for our sins. We pray an Act of Contrition as a sign of sorrow and intention to sin no more.
- **Confession**—We confess, or tell, our sins to the priest.
- **Penance**—The priest gives us a penance, an action that shows we are sorry for our sins. It is sometimes a prayer or an act of service. Accepting this penance is a sign that we are turning back to God and are willing to change our lives.
- **Absolution**—Our sins are absolved, or forgiven. In the name of Christ and the Church and through the power of the Holy Spirit, a priest grants the forgiveness of sins. As a sign that our sins are being forgiven, the priest extends his hand and prays the words of absolution. We respond, "Amen."

Whether we celebrate the Sacrament of Penance individually or in a communal penance service, we always confess our sins individually to the priest and receive absolution from him. And each time we celebrate the Sacrament of Penance, whether individually or in a group, we are joined to the whole Church.

In the Sacrament of Penance, the priest, who has received the Sacrament of Holy Orders, acts in the name of Jesus Christ and the Church and through the power of the Holy Spirit. So it is important to know that only a priest can hear our confession and forgive our sins. The priest can never, for any reason whatsoever, tell anyone what we have confessed. He has promised to keep the seal of confession.

When the priest is giving us absolution, what does he do as a sign that we are being forgiven?

3 En el sacramento de la Penitencia y Reconciliación recibimos la paz de Cristo.

Al final de la celebración del sacramento de la Penitencia, el sacerdote nos dice: "Vete en paz". Podemos ir en paz porque nuestros pecados han sido perdonados. Somos llamados a compartir la paz de Cristo con los demás.

Una de las formas de compartir la paz de Cristo es perdonando a otros. Algunas veces esto es difícil. Pero Jesús nos enseñó que debemos perdonar a los demás. Un día uno de los apóstoles le preguntó: "Señor, ¿cuántas veces tengo que perdonar a mi hermano cuando me ofende? ¿Siete veces?" Jesús le respondió "No te digo siete veces, sino setenta veces siete" (Mateo 18:21, 22). Jesús le estaba diciendo a Pedro que él debía perdonar siempre. Y cada uno de nosotros debe recordar esta enseñanza de Jesús.

Cuando perdonamos, estamos viviendo la Bienaventuranza:

"Dichosos los que construyen la paz,
porque Dios los llamará sus hijos".
(Mateo 5:9)

Al pedir perdón y perdonar a otros estamos siguiendo la enseñanza de Jesús. Mostramos nuestro amor por Dios y por los demás. Predicamos el mensaje de paz de Jesús en nuestra comunidad y el mundo.

¿Cómo puedes compartir la paz de Cristo con otros esta semana?

In the Sacrament of Penance we receive Christ's peace.

At the end of the celebration of the Sacrament of Penance, the priest tells us, "Go in peace." We are able to go in peace because our sins have been forgiven. We, in turn, are called to share Christ's peace with others.

One of the ways we share Christ's peace is by forgiving others. Sometimes this is difficult to do. Yet Jesus taught us that we must forgive others. One day when the Apostle Peter asked, "Lord, if my brother sins against me, how often must I forgive him? As many as seven times?" Jesus told him, "I say to you, not seven times but seventy-seven times" (Matthew 18:21, 22).

Jesus was telling Peter that he should always be forgiving. And each of us must remember this teaching of Jesus, too!

When we forgive others, we are living out the Beatitude:
"Blessed are the peacemakers,
for they will be called children of God".
(Matthew 5:9)

By asking for forgiveness and forgiving others, we are following Jesus' teaching. We are showing our love for God and others. And we are spreading Christ's message of peace in our community and throughout the world.

How can you share Christ's peace with others this week?

Repaso

Subraya la respuesta correcta.

1. (Penitencia/Contrición/Confesión) es una acción que muestra que estamos arrepentidos de nuestros pecados
2. (Confesión/Contrición/Conciencia) es nuestra habilidad de saber la diferencia entre lo bueno y lo malo, el bien y el mal.
3. (Algunas veces, Nunca, Siempre) el pecado debilita nuestra relación con Dios.
4. (Confesión/Conversión/Conciencia) es decir nuestros pecados al sacerdote.

Conversen sobre lo siguiente:

5. ¿Qué significa *conversión*?
6. ¿Por qué es importante que perdonemos a otros?
7. ¿Cuál es el papel del sacerdote en la celebración del sacramento de la Penitencia y Reconciliación?

Vocabulario

conversión (p. 134)
conciencia (p. 136)
pecado (p. 136)
contrición (p. 136)
confesión (p. 136)
penitencia (p. 136)
absolución (p. 136)

Con mi familia

Compartiendo nuestra fe

1. **Jesús nos enseñó sobre el amor y el perdón de Dios.**
2. **Celebramos el sacramento de la Penitencia y Reconciliación.**
3. **En el sacramento de la Penitencia y Reconciliación recibimos la paz de Cristo.**

REZANDO JUNTOS

Este es un acto de contrición que puedes hacer mientras celebras el sacramento de la Penitencia o en cualquier otro momento.

Acto de Contrición
Dios mío,
con todo mi corazón me arrepiento
de todo el mal que he hecho y de todo lo bueno que he dejado de hacer.
Al pecar, te he ofendido a ti,
que eres el supremo bien
y digno de ser amado sobre todas las cosas.
Propongo firmemente, con la ayuda de tu gracia,
hacer penitencia, no volver a pecar y huir de las ocasiones de pecado.
Señor, por los méritos de la pasión de nuestro Salvador Jesucristo,
apiádate de mí. Amén.

Viviendo nuestra fe

La Iglesia enseña que debemos formar, educar, nuestra conciencia estudiando la Escritura y las enseñanzas de la Iglesia. En familia identifiquen formas en que se ayudarán a formar su conciencia esta semana.

Review

Underline the correct answer.

1. A (penance/contrition/confession) is an action that shows we are sorry for our sins.
2. Our (confession/contrition/conscience) is our ability to know the difference between good and evil, right and wrong.
3. (Some/No/Every) sin weakens our friendship with God.
4. Telling our sins to the priest is (confession/conversion/conscience).

Discuss the following.

5. What do we mean by *conversion*?
6. Why is it important for us to forgive others?
7. What is the role of the priest in the celebration of the Sacrament of Penance?

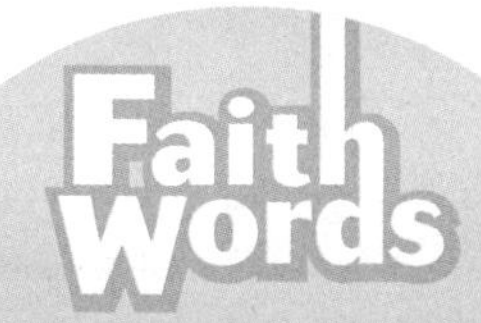

conversion (page 135)
conscience (page 137)
sin (page 137)
contrition (page 137)
confession (page 137)
penance (page 137)
absolution (page 137)

With My Family

Sharing Our Faith

1. Jesus taught us about God's love and forgiveness.
2. We celebrate the Sacrament of Penance and Reconciliation.
3. In the Sacrament of Penance we receive Christ's peace.

PRAYING TOGETHER

Here is an Act of Contrition that you can pray while celebrating the Sacrament of Penance or pray at any time.

My God,
I am sorry for my sins with all my heart.
In choosing to do wrong
and failing to do good,
I have sinned against you
whom I should love above all things.
I firmly intend, with your help,
to do penance,
to sin no more,
and to avoid whatever leads me
to sin.
Our Savior Jesus Christ
suffered and died for us.
In his name, my God, have mercy.

Living Our Faith

The Church teaches that we must form, or educate, our conscience by studying Scripture and the teachings of the Church. As a family, identify one way that you will form your conscience this week.

Servimos en nombre de Jesús

¿Qué hacer?

Completa la historia

Anoche el hermanito de Clara se enfermó. Sus padres se turnaron durante toda la noche para cuidar de él. Esta mañana Clara vio que sus padres estaban muy cansados. Clara decidió

___

En la reunión del club Protección del Medio Ambiente del martes, la Sra. Gracia pidió a los miembros participar en la limpieza de una playa el siguiente sábado. Ella explicó que al club se le había pedido limpiar la playa y sembrar algunas plantas. Ella dijo que la limpieza tomaría unas horas, Juana, la mejor amiga de María, dijo que no quería participar. María decidió

___

La semana pasada nuestro párroco hizo un anuncio especial. Dijo: "La próxima semana la comunidad parroquial hará una colecta especial para ayudar a las familias que perdieron sus hogares en el incendio en el centro de la cuidad. Todo el que quiera ayudar puede donar ropa, comida o dinero".

De camino a casa, Mateo Cheng le dijo a sus padres que ellos debían contribuir. Mateo y sus padres decidieron

___

Aprenderemos...

1 Jesús es nuestro mejor ejemplo de servicio a los demás.
2 Somos llamados a satisfacer las necesidades corporales de los demás.
3 Somos llamados a satisfacer las necesidades espirituales de los demás.

We Serve in Jesus' Name 13

What to Do?

Complete the following stories

Last night Cara's little brother was sick. Throughout the night, her parents had taken turns caring for him. This morning Cara noticed that both her mother and father were very tired. Cara decided that

____

At Tuesday's meeting of the Protect the Environment Club, Mrs. De Grassi asked the members to participate in a beach sweep. She explained that the club had been asked to clean up Sunset Beach, and then plant dune grass. The sweep would take a few hours. Marissa's best friend, Joanne, said she did not want to participate. Marissa decided that

____

Last week our pastor made a special announcement. He said, "Next week the parish community will have a collection for the families who lost their homes in the downtown fire. Anyone who wishes to help these families may donate clothing, food, or money."

On the way home Matthew Cheng talked with his parents about what the Cheng family would contribute. Matthew and his parents decided that

____

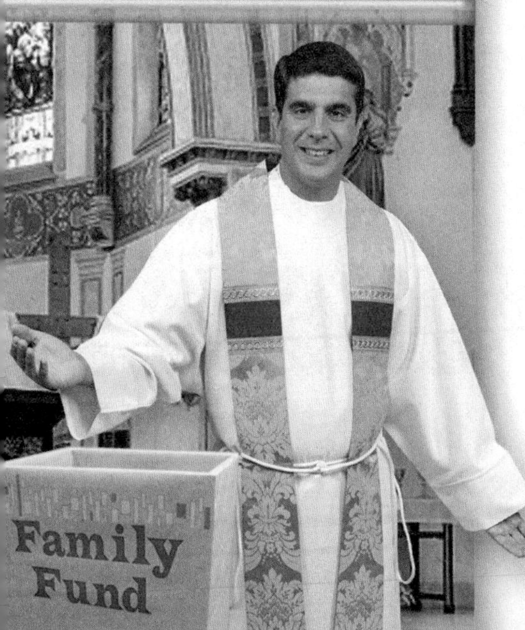

We Will Learn...

1. Jesus is our greatest example of service to others.
2. We are called to care for the physical needs of others.
3. We are called to care for the spiritual needs of others.

1 Jesús es nuestro mejor ejemplo de servicio a los demás.

Jesús dijo a sus discípulos que debían amar a los demás como a ellos mismos. Con la forma en que vivió él les dio un ejemplo de ese amor. El cuidó de los necesitados. Ayudó a los enfermos, visitó a los que necesitaban cuidado, dio de comer a los que tenían hambre.

Jesús dijo a sus discípulos que al final de los tiempos todos nosotros seríamos juzgados por la forma en que tratamos a otros.

En el juicio final, Jesucristo vendrá de nuevo en gloria. El les dirá a los que vivieron sirviendo a los demás: "Porque tuve hambre y me dieron de comer; tuve sed, y me dieron de beber; era un extraño y me hospedaron; estaba desnudo, y me vistieron; enfermo, y me visitaron; en la cárcel, y fueron a verme". (Mateo 25:35–36)

Por eso Jesús nos dice: "Les aseguro que cuando lo hicieron con uno de estos mis hermanos más pequeños, conmigo lo hicieron". (Mateo 25:40)

¿Qué puedes hacer esta semana para mostrar que vives sirviendo a otros?

¿Sabías?

Como discípulos de Jesús somos llamados a trabajar por la justicia y la paz. Esto lo podemos hacer siendo amigos de otros, especialmente los que no tienen familia o se sienten solos. Podemos acoger a nuestro prójimo y a los recién llegados a nuestro país. Podemos tratar a todo el mundo justamente y ayudar a los que no son tratados con justicia. Podemos aprender y cuidar de los que necesitan nuestra ayuda en nuestro país y en el extranjero. Podemos escribir a los líderes locales y nacionales pidiéndoles proteger los derechos y seguridad de los niños y todas las personas, especialmente los necesitados.

1 Jesus is our greatest example of service to others.

Jesus told his disciples that they should love others as he loved them. And he gave them an example of this love by the way he lived. He cared for those who were in need. He helped those who were sick, visited those who needed his care, and provided food for the hungry.

Jesus told his disciples that at the end of time all of us would be judged by the way we have treated others.

At the Last Judgment at the end of time, Jesus Christ will come again in glory. He will say to those who have led lives of service to others, "For I was hungry and you gave me food, I was thirsty and you gave me drink, a stranger and you welcomed me, naked and you clothed me, ill and you cared for me, in prison and you visited me" (Matthew 25:35–36).

For Jesus tells us, "Amen, I say to you, whatever you did for one of these least brothers of mine, you did for me" (Matthew 25:40).

What can you do this week to show that you are living a life of service to others?

Do You Know?

As disciples of Jesus Christ, we are called to work for justice and peace for all people. We can do this by being a friend to others, especially those who feel lonely or left out. We can treat everyone fairly and help those who are treated unfairly. We can welcome neighbors who are new to our country. We can learn about and care for people who need our help in our own country and throughout the world. We can write to our local and national leaders to ask them to protect the rights and safety of children and all people, especially those in need.

Somos llamados a satisfacer las necesidades corporales de los demás.

Satisfacer las necesidades de los demás es una parte importante de nuestra fe católica. Cuando hacemos esto estamos siguiendo el ejemplo de Jesús mostrando misericordia. Las obras de amor que hacemos por los necesitados son llamadas **obras de misericordia**.

Las **obras corporales de misericordia** son obras de amor que nos ayudan a cuidar de las necesidades materiales de los demás.

La Iglesia anima a todos sus miembros a cuidar de los que no pueden cuidarse a sí mismos. Puedes averiguar como tu parroquia practica los obras corporales de misericordia.

¿De qué formas puedes practicar las obras corporales de misericordia?

Obras corporales de misericordia

- Dar de comer al que tiene hambre.
- Dar de beber al que tiene sed.
- Vestir al desnudo.
- Visitar a los presos.
- Hospedar al que no tiene hogar.
- Visitar a los enfermos.
- Enterrar a los muertos.

2 We are called to care for the physical needs of others.

Responding to the needs of others is an important part of our Catholic faith. When we respond to others' needs we are following Jesus' example of showing mercy. The loving acts that we do to care for the needs of others are called the **Works of Mercy**.

The **Corporal Works of Mercy** are acts of love that help us care for the physical and material needs of others.

Corporal Works of Mercy

- Feed the hungry.
- Give drink to the thirsty.
- Clothe the naked.
- Visit the imprisoned.
- Shelter the homeless.
- Visit the sick.
- Bury the dead.

The Church encourages all members to care for those who are not able to care for themselves. You can check to find out ways your parish community practices the Corporal Works of Mercy.

In what ways can you practice the Corporal Works of Mercy?

Somos llamados a satisfacer las necesidades espirituales de los demás.

Otra forma en que podemos satisfacer las necesidades de otros es por medio de las **obras espirituales de misericordia**. Estas son obras de amor que ayudan a cuidar las necesidades del corazón, el alma y la mente de las personas.

Obras espirituales de misericordia

- Perdonar al pecador.
  (Corregir a quien lo necesite).
- Instruir al ignorante.
  (Dar consejo al que lo necesite).
- Aconsejar al que duda.
  (Dar consejo al que lo necesite).
- Consolar al afligido.
  (Consolar a los que sufren).
- Corregir al que lo necesite.
  (Tener paciencia).
- Perdonar las ofensas.
  (Perdonar a los que nos ofenden).
- Rezar por los vivos y los muertos

Ambas, las obras corporales y espirituales de misericordia, son importantes prácticas de nuestra fe católica. Podemos pedir al Espíritu Santo que nos guíe para actuar con amor por los demás en nuestras vidas. Cuando hacemos estas obras de misericordia estamos dando testimonio de Jesucristo.

¿Qué obras espirituales de misericordia pueden hacer las personas de tu edad? ¿Cómo?

3 We are called to care for the spiritual needs of others.

Another way that we can care for the needs of others is through the **Spiritual Works of Mercy**. These are acts of love that help us care for the needs of people's hearts, minds, and souls.

Spiritual Works of Mercy

- Admonish the sinner.
  (Give correction to those who need it.)
- Instruct the ignorant.
  (Share our knowledge with others.)
- Counsel the doubtful.
  (Give advice to those who need it.)
- Comfort the sorrowful.
  (Comfort those who suffer.)
- Bear wrongs patiently.
  (Be patient with others.)
- Forgive all injuries.
  (Forgive those who hurt us.)
- Pray for the living and the dead.

Both the Corporal and Spiritual Works of Mercy are important practices of our Catholic faith. We can ask the Holy Spirit to guide us in carrying out these acts of love in our daily lives. When we carry out these Works of Mercy, we are giving witness to Jesus Christ.

Which of the Spiritual Works of Mercy can people your age do? How?

Repaso

1–2. Escribe dos obras corporales de misericordia

____

____

____

____

3–4. Escribe dos obras espirituales de misericordia.

____

____

____

____

Conversa sobre lo siguiente:

5. ¿Cómo cuidó Jesús de los demás?

6. ¿Por qué es importante que sigamos el ejemplo de Jesús?

7. ¿Qué es el juicio final?

obras de misericordia (p. 146)
obras corporales de misericordia (p. 146)
obras espirituales de misericordia (p. 148)

Con mi familia

Compartiendo nuestra fe

1. **Jesús es nuestro mejor ejemplo de servicio a los demás.**
2. **Somos llamados a satisfacer las necesidades corporales de los demás.**
3. **Somos llamados a satisfacer las necesidades espirituales de los demás.**

REZANDO  JUNTOS

La siguiente oración es una de las oraciones de la Iglesia por los muertos.

Dale Señor el descanso eterno, y brille para ellos la luz perpetua.
Por la misericordia de Dios, descansen en paz.
Amén.
Que sus almas y las almas de todos los fieles difuntos, por la misericordia de Dios, descansen en paz.
Amén.

Viviendo nuestra fe

Piensa en posibles lemas para animar a las personas a hacer obras de misericordia. Escríbelos abajo. Escoge uno y diseña un anuncio para una revista o sitio web usando tu lema. Comparte el anuncio con tus amigos y familiares.

Review

1–2. Write two Corporal Works of Mercy.

____

____

____

____

3–4. Write two Spiritual Works of Mercy.

____

____

____

____

Discuss the following.

5. In what ways did Jesus care for others?
6. Why is it important for us to follow Jesus' example?
7. What is the Last Judgment?

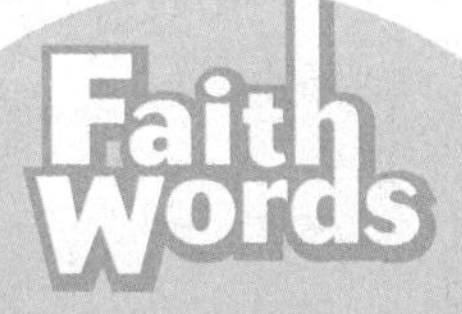

Works of Mercy (page 147)
Corporal Works of Mercy (page 147)
Spiritual Works of Mercy (page 149)

With My Family

Sharing Our Faith

1. **Jesus is our greatest example of service to others.**
2. **We are called to care for the physical needs of others.**
3. **We are called to care for the spiritual needs of others.**

PRAYING TOGETHER

The following prayer is one the Church prays for those who have died.

Eternal rest grant unto them, O Lord,
And let perpetual light shine upon them.
May they rest in peace.
Amen.
May their souls and the souls of all the faithful departed,
through the mercy of God, rest in peace.
Amen.

Living Our Faith

Think of possible slogans to encourage people to do the Works of Mercy. List them below. Then choose one and on poster board design an ad for a magazine or Web site using your slogan. Share the ad with family and friends.

Pertenecemos a la comunión de los santos

Santo patrón

El domingo pasado la familia de Juan fue a visitar a la tía Iris, Juan se dio cuenta de que no estaban viajando por la vía acostumbrada. El preguntó a su papá: "¿A dónde vamos?"

Su padre le contestó: "Vamos a ver la iglesia que está construyendo mi compañía".

Cuando el carro se detuvo frente a la construcción, Juan y sus padres bajaron del carro. El papá de Juan dijo: "El párroco de esta parroquia va a ser el padre Donnelly. Cuando vino a ver la construcción el padre dijo al equipo que el obispo anunció que el nombre de la parroquia será San Juan Bautista".

La madre de Juan dijo: "San Juan Bautista es tu patrón, Juan. Naciste el día de su fiesta, así que decidimos ponerte Juan".

Juan, sorprendido, dijo: "Sé que San Juan era primo de Jesús, pero ahora me interesa saber más sobre él". Entonces el padre de Juan dijo: "Cuando le dije al padre Donnelly que te llamabas Juan, él me dijo que su primer nombre es Sean. Sean es Juan en irlandés. San Juan el Bautista es también su santo patrón.

Durante la semana, el padre Donnelly visitó al padre de Juan en su oficina para ver la maqueta de la nueva iglesia. Juan y su mamá almorzaron con ellos. "Hola Juan, te voy a hablar sobre nuestro santo patrón, San Juan Bautista", dijo el padre.

¿Quién es tu santo patrón favorito?

¿Qué sabes de ese santo?

We Belong to the Communion of Saints

14

A Patron Saint

Last Sunday when Juan's family was on the way to Aunt Iris's house, Juan noticed that they were not taking the roads they usually did. He asked, "Where are we going?"

His father explained, "We're going to look at the new church my company has been building."

When the car stopped at the construction site, Juan and his parents got out of the car. Juan's dad said, "The pastor of this new parish is going to be Father Donnelly. When Father came to the site, he told our team that the bishop announced that the name of the new parish will be Saint John the Baptist."

Juan's mother said, "Saint John the Baptist is your patron saint, Juan. You were born on Saint John's feast day, so your dad and I decided to give you the name Juan, the Spanish name for John."

Juan was surprised. He said, "I know that Saint John was Jesus' cousin, but now I really want to learn more about him."

Then Juan's father said, "When I told Father Donnelly that Saint John was my son's patron saint, he told me that his first name is Sean. Sean is the Irish name for John. And Saint John the Baptist is his patron saint, too."

Later that week, Father Donnelly visited Juan's father's office to see the model of the new parish. Juan and his mother went there to meet him. "Hi Juan," said Father, "let me tell you about our patron saint, John the Baptist!"

Who is your patron saint? Your favorite saint?

What do you know about him or her?

St. John the Baptist Catholic Church

We Will Learn...

1 The Church honors the saints.

2 Mary is Jesus' first disciple and the greatest saint.

3 The Church honors Mary, the Mother of God and the Mother of the Church.

1 La Iglesia honra a los santos.

Santos son seguidores de Cristo que han vivido una vida de santidad en la tierra y ahora comparten la vida eterna con Dios en el cielo. Por el ejemplo de la vida de los santos podemos aprender formas de amarnos, amar a Dios y a los demás. Podemos aprender como ser discípulos de Jesús como fueron ellos. Cada 1 de noviembre la Iglesia honra a todos los santos en el cielo en la fiesta de Todos los Santos. En ese día recordamos la vida de servicio y oración de los santos. Recordamos que su amor y oración por la Iglesia es constante. En ese día y durante todo el año pedimos a los santos que recen por nosotros.

Como miembros de la Iglesia, el cuerpo de Cristo, estamos unidos a todos los bautizados. La **comunión de los santos** es la unión de todos los bautizados miembros de la Iglesia.

- Miembros en la tierra responden a la gracia de Dios viviendo una vida buena y siendo modelos para los demás.
- Miembros en el cielo llevaron vidas de santidad en la tierra y comparten el gozo de la vida eterna con Dios. Los fieles en la tierra pueden ayudar rezando, especialmente en la misa y ofreciendo buenas obras.
- Miembros en el purgatorio que se están preparando para ir al cielo, alcanzando la santidad necesaria para gozar de la felicidad en el cielo. Los fieles en la tierra pueden ayudarlos rezando, especialmente en la misa y ofreciendo buenas obras por ellos.

¿De qué santo te gustaría saber más?

¿Sabías?

Un santo canonizado es una persona que ha sido oficialmente reconocida por la Iglesia como santa. La vida de esa persona ha sido examinada por los líderes de la Iglesia. Ellos han decidido que la vida de esa persona ha sido un ejemplo de fe y santidad. Cuando una persona es canonizada su nombre aparece en la lista mundial de santos reconocidos por la Iglesia Católica. Los siguientes son algunos de los santos canonizados por la Iglesia:

- Santa María y San Isidro, eran un matrimonio de campesinos en España. Ellos cuidaron de los regalos de la creación de Dios y compartieron los recursos de la tierra con los pobres.
- Santa Francisca de Roma trabajó con los pobres de Roma, Italia. Ella atendió a los que sufrían de una terrible enfermedad que mató miles de personas.

Do You Know?

A canonized saint is a person who has been officially named a saint by the Church. The life of this person has been examined by Church leaders. They have decided that this person's life has been an example of faith and holiness. When a person is canonized a saint, his or her name is entered into the worldwide list of saints recognized by the Catholic Church. The following are some of the many canonized saints of the Church:

- Saints Maria and Isidore were married. They worked on a farm in Spain. They cared for God's gifts of Creation and shared the earth's resources with the poor.
- Saint Frances of Rome worked among the poor people of Rome, Italy. She nursed those who suffered from a terrible disease that killed thousands of people.

1 The Church honors the saints.

Saints are followers of Christ who lived lives of holiness on earth and now share in eternal life with God in Heaven. From the example of the saints' lives, we can learn ways to love God, ourselves, and others. We can learn how to be disciples of Jesus, as they were. Each November 1 the Church honors all the saints in Heaven on the Feast of All Saints. On this day we recall the saints' lives of service and prayer. We remember that their love and prayers for the Church are constant. On this day and throughout the year, we ask the saints to pray to God for us.

As members of the Church, the Body of Christ, we are united to all who have been baptized.

The **Communion of Saints** is the union of the baptized members of the Church.

- Members on earth respond to God's grace by living a good life and becoming role models for one another.
- Members in Heaven led lives of holiness on earth and now share in the joy of eternal life with God.
- Members in Purgatory are preparing for Heaven, by growing in the holiness necessary to enjoy the happiness of Heaven. The faithful on earth can help them by prayer, especially the Mass, and by offering good works for them.

What saints would you like to learn more about?

2 María es el primer discípulo de Jesús y la más importante entre los santos.

¿Por qué consideramos a María el discípulo más importante de Jesús?

María, la madre de Jesús, es su primer y más fiel discípulo. Ella compartió la santidad de Dios en una forma especial porque Dios la escogió para ser la madre de su Hijo. María creyó en Jesús desde el momento en que el ángel Gabriel le dijo que Dios quería que ella fuera la madre de Jesús. El evento en que el ángel anunció a María que sería la madre del Hijo de Dios es llamado la **anunciación**.

Porque María sería la madre del Hijo de Dios, Dios la bendijo de manera especial. Esta bendición especial fue dada sólo a María. Dios la creó libre del pecado original y de pecado desde el primer momento de su concepción. Esta verdad de que María nunca tuvo pecado es llamada **inmaculada concepción**.

María amó a Jesús toda su vida. Ella cuidó de él mientras crecía. Ella lo apoyó durante su ministerio. Ella permaneció a su lado cuando moría en la cruz. Ella se quedó con los apóstoles esperando al Espíritu Santo después que Jesús ascendió a los cielos.

María hizo la voluntad de Dios durante toda su vida. Ella fue pura de corazón y vivió una vida de santidad. Cuando el trabajo de María en la tierra terminó, Dios la llevó en cuerpo y alma al cielo a vivir eternamente con Cristo. Este evento es conocido como la **asunción**.

María, visión de ángeles, Malaika Favorite, ©2007

Mary is Jesus' first disciple and the greatest saint.

Mary, the Mother of Jesus, is his first and most faithful disciple. She shares in God's holiness in a very special way because God chose her to be the Mother of his Son. Mary believed in Jesus from the moment that the angel Gabriel told her that God wanted her to be Jesus' Mother. The event at which the announcement was made that Mary would be the Mother of the Son of God is called the **Annunciation.**

Because Mary was to be the Mother of the Son of God, God blessed her in a special way. God created her free from Original Sin and from all sin since the very first moment of her life, her conception. This truth about Mary's sinlessness is called the **Immaculate Conception.**

Mary loved Jesus all through his life. She cared for him as he grew. She supported him throughout his ministry. She remained by his side as he died on the cross. She stayed with the Apostles after Jesus' Ascension as they waited for the coming of the Holy Spirit.

Throughout her life Mary trusted in God's will. She had a pure heart and lived a life of holiness. When Mary's work on earth was done, God brought her body and soul to live forever with the risen Christ. This event is known as Mary's **Assumption.**

Why do we consider Mary to be Jesus' first disciple?

Annunciation, Maurice Denis, 1870–1943

3 La Iglesia honra a María, la madre de Dios y madre de la Iglesia.

María es un ejemplo especial para todos nosotros. La Iglesia tiene muchos títulos para María. Esos títulos nos ayudan a entender el papel de María en nuestras vidas y en la vida de la Iglesia.

• Santísima virgen—María no estaba casada cuando el ángel le dijo que ella iba a ser la madre de Jesús. El ángel le dijo que Jesús sería concebido por el poder del Espíritu Santo. María permaneció virgen durante su vida de casada con José. Por eso María se conoce como santísima virgen.

• Madre de Dios—Jesucristo, el Hijo de Dios e hijo de María, es verdadero Dios y verdadero hombre. El es la segunda Persona de la Santísima Trinidad que se hizo hombre. Por eso María es conocida como la madre de Dios.

Nuestra Señora de los Angeles, CA

• María, madre de la Iglesia—cuando Jesús estaba muriendo en la cruz, vio a María y al apóstol Juan a los pies de la cruz. Jesús le dijo a María: "Mujer, ahí tienes a tu hijo". Y le dijo a Juan: "Ahí tienes a tu madre" (Juan 19:26, 27). De esa forma Jesús mostró que María es la madre de todos los que creen y siguen a Jesucristo. Por eso María es conocida como la madre de la Iglesia.

Estas son algunos de los días en que la Iglesia honra a María.

María, Madre de Dios—*1 de enero*

La Anunciación de Nuestro Señor —*25 de marzo*

La Visitación de la Santísima Virgen María—*31 de mayo*

La Asunción de la Santísima Virgen María—*15 de agosto*

El nacimiento de María—*8 de septiembre*

La Inmaculada Concepción—*8 de diciembre*

Nuestra Señora de Guadalupe—*12 de diciembre*

La Iglesia muestra amor a María por medio de devociones y oraciones. Puedes encontrar algunas de esas devociones en *Oraciones y devociones para jóvenes católicos*, de William H. Sadlier, Inc.

¿Por qué crees que María es tan importante para la Iglesia?

Our Lady of Angels, Los Angeles, CA

3 The Church honors Mary, the Mother of God and the Mother of the Church.

Mary is special example for all of us. The Church has many titles for Mary. These titles help us to understand Mary's role in our lives and in the life of the Church.

• Blessed Virgin Mary—Mary was not married when the angel told her that she was to be Jesus' Mother. The angel told her that Jesus was to be conceived by the power of the Holy Spirit. And Mary remained a virgin throughout her married life with Joseph. Thus, Mary is known as the Blessed Virgin, the Blessed Virgin Mary, and the Blessed Mother.

• Mother of God—Jesus Christ, the Son of God and Mary's son, is truly human and truly divine. He is the second Person of the Blessed Trinity who became man. Thus, Mary is known as the Mother of God.

• Mother of the Church—As Jesus was dying on the cross, he saw Mary and the Apostle John at his feet. Jesus said to Mary, "Woman, behold, your son." He said to John, "Behold, your mother" (John 19:26, 27). In this way Jesus showed that Mary is the mother of all those who believe and follow him. Thus, Mary is known as the Mother of the Church.

Here are some of the feast days on which the Church honors Mary.

Mary, Mother of God—*January 1*

The Annunciation of Our Lord —*March 25*

The Visitation of the Blessed Virgin Mary—*May 31*

The Assumption of the Blessed Virgin Mary—*August 15*

The Birth of Mary—*September 8*

Immaculate Conception of the Blessed Virgin Mary—*December 8*

Our Lady of Guadalupe—*December 12*

The Church shows love for Mary through devotions and prayer. You will find some of these devotions and prayers in *We Believe and Pray, Prayer and Practice for Young Catholics.* William H. Sadlier, Inc.

Why is Mary so important to the Church?

Repaso

Escribe verdad o falso en la raya al lado de las siguientes oraciones. En una hoja de papel cambia la oración falsa en verdadera.

1. ____________ La verdad de que María fue concebida sin pecado es la inmaculada concepción.
2. ____________ Cuando el trabajo de María en la tierra terminó fue llevada en cuerpo y alma al cielo. Esto es la anunciación.
3. ____________ José anunció a María que ella iba a ser la madre del hijo de Dios.
4. ____________ Santos son seguidores de Cristo quienes comparten la vida eterna con Dios en el cielo.

Conversen sobre lo siguiente:

5. ¿Qué es lo que más admiras de María?
6. ¿Por qué honramos a los santos?
7. ¿Qué puedes hacer para aprender más sobre María y sobre otros santos?

Vocabulario

santos (p. 154)
comunión de los santos (p. 154)
anunciación (p. 156)
inmaculada concepción (p. 156)
asunción (p. 156)

Con mi familia

Compartiendo nuestra fe

1. **La Iglesia honra a los santos.**
2. **María es el primer discípulo de Jesús y la más importante entre los santos.**
3. **La Iglesia honra a María, la madre de Dios y madre de la Iglesia.**

REZANDO JUNTOS

El Ave María es una de las oraciones de la Iglesia más populares en honor a María.

Dios te salve María,
llena eres de gracia;
el Señor es contigo;
bendita tú eres entre todas las mujeres,
y bendito es el fruto de tu vientre,
Jesús. Santa María, Madre de Dios,
ruega por nosotros pecadores, ahora
y en la hora de nuestra muerte. Amén.

Viviendo nuestra fe

En este capítulo aprendiste que María y los santos son modelos de santidad y discipulado. Haz una lista de los santos y santos patrones favoritos de tu familia. Conversen sobre como estos santos nos nuestran formas de amar a Dios, a nosotros mismos y a otros y formas en que podemos seguir su ejemplo.

Review

Write *True* or *False* for the following sentences. On a separate piece of paper, change the false sentences to make them true.

1. ____________ The truth that Mary was free from Original Sin from the moment she was conceived is the Immaculate Conception.
2. ____________ When Mary's work on earth was done, God brought her body and soul to live with the risen Christ. This is the Annunciation.
3. ____________ Joseph announced to Mary that she was to be the Mother of God's Son.
4. ____________ Saints are followers of Christ who now share in eternal life with God in Heaven.

Discuss the following.

5. What do you most admire about Mary?
6. Why do we honor the saints?
7. What can you do to learn more about Mary and about the other saints?

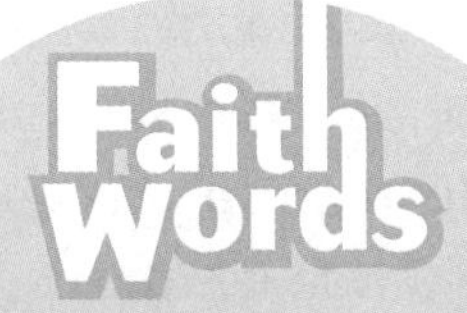

saints (page 155)
Communion of Saints (page 155)
Annunciation (page 157)
Immaculate Conception (page 157)
Assumption (page 157)

With My Family

Sharing Our Faith

1. The Church honors the saints.
2. Mary is Jesus' first disciple and the greatest saint.
3. The Church honors Mary, the Mother of God and the Mother of the Church

PRAYING TOGETHER

The Hail Mary is one of the Church's best known prayers in honor of Mary.

Hail Mary, full of grace,
the Lord is with you!
Blessed are you among women,
and blessed is the fruit
of your womb, Jesus.
Holy Mary, Mother of God,
pray for us sinners,
now and at the hour of our death. Amen.

Living Our Faith

In this chapter you have learned that Mary and the saints are models of holiness and discipleship. List below your family's favorite saints and/or patron saints. Discuss how these saints show us ways to love God, ourselves, and others and ways we can follow their example.

ALGO más que debes saber

FORMACION DE LA CONCIENCIA Fallar en formar nuestra conciencia puede resultar en tomar decisiones que pueden ser pecaminosas. Algunos actos son siempre malos, no debemos escoger hacer algo malo aun cuando pensemos que algo bueno puede surgir de ello. Debemos continuar formando nuestra conciencia toda nuestra vida. Podemos hacer esto aprendiendo sobre nuestra fe y las enseñanzas de la Iglesia. Rezando, pidiendo al Espíritu Santo nos fortalezca y nos guíe; leyendo y reflexionando sobre la Escritura; buscando consejo en las personas sabias, responsables y fieles; y examinando nuestra conciencia con frecuencia. Debemos siempre seguir nuestra formada conciencia.

VIRTUDES Las virtudes teologales de fe, esperanza y caridad son la base de las virtudes humanas—son hábitos que formamos con nuestros esfuerzos, con la ayuda de la gracia de Dios.

Castidad y modestia son dos virtudes humanas. Cuando practicamos la virtud de la castidad usamos nuestra sexualidad humana en forma responsable y fiel. Jesucristo es el modelo de castidad para todos nosotros.

Las virtudes humanas se agrupan alrededor de las cuatro virtudes cardinales.

Prudencia—nos ayuda a juzgar bien y dirigir nuestras acciones hacia lo que es bueno.
Justicia—nos ayuda a respetar los derechos de los demás y a darles lo que les corresponde.
Fortaleza—nos ayuda a actuar con valor frente a los problemas y miedos.
Templanza—nos ayuda a mantener nuestros deseos bajo control y balancear el uso de las cosas materiales.

PECADO SOCIAL El pecado personal puede llevar a situaciones y condiciones en la sociedad contra la bondad de Dios. Esto es llamado pecado social. Algunos resultados del pecado social en la sociedad son el prejuicio, la pobreza, el crimen y la violencia. La Iglesia condena el pecado social.

Dios quiere que todos sus hijos respondan a su gracia. El llama a los que se han alejado de él a regresar a su amor y recibir su perdón, especialmente en el sacramento de la Penitencia. Cuando nos arrepentimos porque creemos en Dios y lo amamos, nuestro arrepentimiento es una *contrición perfecta*. Cuando nos arrepentimos de nuestros pecados por otras razones es *contrición imperfecta*.

VIDA ETERNA Al momento de la muerte somos juzgados por Cristo en como amamos y servimos a Dios y a los demás. Esto es llamado *juicio particular*. Los que han vivido vidas santas en la tierra inmediatamente comparten el gozo del cielo y la vida eterna. Otras personas cuyos corazones tienen que purificarse tendrán que prepararse para ir al cielo en el purgatorio. Ahí alcanzarán la santidad necesaria para gozar de la felicidad en el cielo.

Algunas personas escogen romper la amistad con Dios. Se alejaron continuamente de la misericordia de Dios y se negaron a aceptar el perdón. Ellas se mantendrán separadas de Dios y no compartirán su vida eterna. Eso es llamado *infierno*. Hay personas que tuvieron la oportunidad de conocer a Cristo. La Iglesia enseña que las personas que por medio de la gracia buscan a Dios y hacen su voluntad también tienen la esperanza de la vida eterna.

MORE for You to Know

FORMATION OF CONSCIENCE Failure to form our consciences can result in wrong choices that may be sinful. Certain acts are always wrong and we may never choose to do wrong even if we think good will come from it. We must continue forming our consciences throughout our lives. We can do this by learning all that we can about our faith, and the teachings of the Church; by praying, asking the Holy Spirit to strengthen and guide us; by reading and reflecting on Scripture; by seeking advice from wise, responsible, and faith-filled people; and by examining our consciences often. We must always follow our well-formed consciences.

VIRTUES The theological virtues of faith, hope, and charity are the foundation of the human virtues—habits that come about by our own efforts, with the help of God's grace. Two of the human virtues are chastity and modesty. When we practice the virtue of chastity, we use our human sexuality in a responsible and faithful way. Jesus Christ is the model of chastity for all of us. Every baptized person is called to lead a chaste life. The virtue of modesty helps us to think, speak, act, and dress in ways that show respect for ourselves and others.

All the human virtues are grouped around the four cardinal virtues. **Prudence** helps us to make good judgments and direct our actions toward what is good. **Justice** helps us to respect the rights of others and give them what is rightfully theirs. **Fortitude** helps us to act bravely in the face of troubles or fears. **Temperance** helps us to keep our desires under control and to balance our use of material goods.

SOCIAL SIN Personal sin can lead to unjust situations and conditions in society that are contrary to God's goodness. This is social sin. Some results of social sin in society are: prejudice, poverty, homelessness, crime, violence, and the destruction of our environment. The Church speaks strongly against social sin.

God wants all of his children to respond to his grace. He calls those who have turned away from him to return to his love and receive his forgiveness, especially in the Sacrament of Penance. When we are sorry for our sins because we believe in God and love him, our sorrow is known as *perfect contrition*. When we are sorry for our sins for other reasons, it is *imperfect contrition*.

ETERNAL LIFE At the moment of death, we are judged by Christ as to how well we loved and served God and others. This is called our *particular judgment*. Those who have lived lives of holiness on earth will immediately share in the joy of Heaven and eternal life. Others whose hearts need to be made perfectly pure will prepare for Heaven in Purgatory. There they will grow in the holiness necessary to enjoy the happiness of Heaven.

Unfortunately, some people have chosen to completely break their friendship with God. They have continually turned away from God's mercy, and have refused his forgiveness. They remain separated from God and do not share in eternal life. This eternal separation from God is called *Hell*. There are those who through no fault of their own do not know Christ or the Church. The Church teaches that such people, who through grace try to seek God and do his will, also have the hope of eternal life.

UNIDAD 4 Evaluación

Escribe la letra que mejor define el término.

1. _____ alianza

2. _____ contrición

3. _____ conciencia

4. _____ caridad

5. _____ comunión de los santos

a. la unión de todos los miembros bautizados de la Iglesia

b. virtud teologal que nos permite amar a Dios y a los demás

c. arrepentimiento de nuestros pecados

d. acuerdo especial entre Dios y su pueblo

e. nuestra habilidad de ver la diferencia entre lo bueno y lo malo

Encierra en un círculo la respuesta correcta.

6. La virtud teologal que nos permite confiar en la promesa de Dios de compartir su vida con nosotros por siempre (**fe/esperanza/caridad**).

7. Que Dios llevara a María en cuerpo y alma al cielo para estar por siempre con Jesús resucitado es conocido como (**anunciación/inmaculada concepción/asunción**).

8. Honrar al padre y a la madre es el (**primer/cuarto/quinto**) mandamiento.

9. Jesús quiere que perdonemos a los demás (**siempre/algunas veces/nunca**).

10. Cuando hacemos algo o rezamos una oración para demostrar que estamos arrepentidos de nuestros pecados estamos haciendo una (**confesión/penitencia/absolución**).

Escribe tus respuestas en una hoja de papel.

11. Escribe un título de María y explica su significado.

12. Explica formas en que podemos cumplir el tercer mandamiento.

13. Nombra dos obras corporales de misericordia e identifica formas en que puedes practicarlas durante las próximas semanas.

14. Escribe la definición de las Bienaventuranzas.

15. ¿Por qué es importante para los miembros de la Iglesia celebrar el Sacramento de la Penitencia y Reconciliación?

UNIT 4 Assessment

Write the letter that best defines each term.

1. _____ covenant
2. _____ contrition
3. _____ conscience
4. _____ charity
5. _____ Communion of Saints

a. the union of all baptized members of the Church

b. the theological virtue that allows us to love God and others

c. heartfelt sorrow for our sins

d. a special agreement between God and his people

e. our ability to know the difference between right and wrong

Circle the correct answer.

6. The theological virtue that enables us to trust in God's promise to share his life with us forever is (**faith/hope/charity**).
7. God bringing Mary body and soul to live forever with the risen Christ is known as Mary's (**Annunciation/Immaculate Conception/Assumption**).
8. The (**First/Fourth/Fifth**) Commandment is "Honor your father and your mother."
9. Jesus wants us to (**always/sometimes/never**) forgive others.
10. When we do an action or say a prayer that shows we are sorry for sins, we are doing (**a confession/a penance/an absolution**).

Write your responses on a separate piece of paper.

11. Write one title of Mary that you have learned about in this unit. Explain its meaning.
12. Explain ways in which we keep the Third Commandment.
13. Name two of the Corporal Works of Mercy. Identify ways you can practice these works during the coming weeks.
14. Write the definition of the Beatitudes.
15. Why is it important for the members of the Church to celebrate the Sacrament of Penance and Reconciliation?

Semestre 2 Evaluación

Encierra en un círculo la letra al lado de la respuesta correcta.

1. El sacramento en que se basa la vida cristiana es _____.
- **a.** Matrimonio
- **b.** Orden Sagrado
- **c.** Penitencia
- **d.** Bautismo

2. Después de escuchar las lecturas bíblicas en la misa, el sacerdote o el diácono _____.
- **a.** nos pide salir de la iglesia
- **b.** nos hace preguntas
- **c.** reza el Padrenuestro
- **d.** explica el significado de las lecturas en nuestras vidas.

3. Los primeros tres mandamientos nos dicen _____.
- **a.** lo bueno que somos
- **b.** como hacer amigos
- **c.** como amar a Dios
- **d.** cuando cantar en la misa

4. Los siete mandamientos restantes nos dicen _____.
- **a.** como leer la Biblia todos los días
- **b.** como amar a los demás
- **c.** como rezar el rosario
- **d.** como vivir una larga vida.

5. Las obras espirituales de misericordia son _____.
- **a.** lo que dice el sacerdote al final de la misa.
- **b.** cosas que nuestros padres nos piden hacer en la casa.
- **c.** acciones tales como visitar a los enfermos.
- **d.** maneras en que podemos satisfacer las necesidades del corazón, la mente y el alma de los demás.

Completa.

6. Las Bienaventuranzas son enseñanzas de Jesús que describen ____________

____.

7. Como miembros de la Iglesia respondemos a las necesidades de los demás porque

____.

8. Por el ejemplo de María y los santos podemos aprender ______________________

____.

9. Perdonamos a los demás porque ______________________________

____.

10. Recibimos a ____
en la sagrada comunión.

Escribe en la raya la letra al lado de la frase que completa la oración.

11. _____ La Eucaristía

12. _____ El don del Espíritu Santo

13. _____ La asunción

14. _____ Conversión

15. _____ La comunión de los santos

a. es fortalecido en nosotros durante la Confirmación.

b. es volvernos a Dios.

c. es la unión de todos los Bautizados miembros de la Iglesia.

d. evento en que Dios llevó a María en cuerpo y alma a vivir por siempre con Jesucristo resucitado.

e. es un memorial, una comida y un sacrificio.

Escribe tu respuesta en una hoja de papel.

16. Nombra dos formas en que podemos cumplir el tercer mandamiento.

17. ¿Qué es el Gran Mandamiento?

18. ¿Por qué Dios nos dio los Diez Mandamientos?

19. Nombra las cuatro partes del sacramento de la Penitencia y Reconciliación.

20. Jesús dijo: "Sígueme". Como miembro de la Iglesia, ¿cómo puedes seguir a Jesús?

Semester 2 Assessment

Circle the letter of the correct answer.

1. The sacrament that is the foundation of the Christian life is _____.
   a. Matrimony
   b. Holy Orders
   c. Penance
   d. Baptism

2. After we hear the readings at Mass, the priest or deacon then _____.
   a. tells us to leave
   b. asks us questions
   c. prays the Our Father
   d. explains their meaning for our lives

3. The first three commandments tell us _____.
   a. how good we are
   b. how to make friends
   c. how to love God
   d. when to sing during Mass

4. The Fourth through the Tenth Commandments tell us _____.
   a. to read the Bible daily
   b. how to love others
   c. how to pray the rosary
   d. how to live a long life

5. The Spiritual Works of Mercy are _____.
   a. what the priest says at the end of Mass
   b. things our parents make us do at home
   c. actions such as visiting the sick
   d. ways we can care for the needs of people's hearts, minds, and souls

Complete the following.

6. The Beatitudes are Jesus' teachings that describe ______________________________

   ____.

7. As members of the Church, we respond to the needs of others because ______

   ____.

8. From the example of Mary and the saints we can learn ________________________

____.

9. We forgive others because ____

____.

10. In Holy Communion we receive ____________________________________

____.

Write the letter to complete each sentence.

11. _____ The Eucharist

12. _____ The Gift of the Holy Spirit

13. _____ The Assumption

14. _____ Conversion

15. _____ The Communion of Saints

a. is strengthened within us at Confirmation.

b. is turning back to God.

c. is the union of all baptized members of the Church.

d. is the event when God brought Mary body and soul to live forever with the risen Christ.

e. is a memorial, a meal, and a sacrifice.

Write your responses on a separate piece of paper.

16. Name two ways we can follow the Third Commandment.

17. What is the Great Commandment?

18. Why did God give us the Ten Commandments?

19. Name the four main parts of the Sacrament of Penance and Reconciliation.

20. Jesus said, "Come, follow me." As a member of the Church, how can you do this?

El año litúrgico

La liturgia es la oración oficial y pública de la Iglesia. En la liturgia nos reunimos como comunidad unida a Cristo para celebrar nuestra fe. El año de la Iglesia está basado en la vida de Cristo y la celebración de su vida en la liturgia. Así, el año de la Iglesia es llamado *año litúrgico.*

Durante un año litúrgico recordamos y celebramos toda la vida de Jesucristo. Celebramos su nacimiento, sus años de juventud. Los años de su ministerio y enseñanza, y de manera muy especial su sufrimiento, muerte, resurrección y ascensión al cielo.

Las lecturas que escuchamos, los colores que vemos y los himnos que cantamos nos ayudan a saber que tiempo estamos celebrando. El año litúrgico empieza a finales de noviembre o a principios de diciembre con el tiempo de Adviento.

Adviento

Adviento es tiempo de preparación y gozo. Esperamos la celebración de la Navidad cuando recordamos la primera venida del Hijo de Dios. Celebramos que Dios viene diariamente a nuestras vidas. Esperamos la segunda venida de Cristo al final de los tiempos. El color del Adviento es el morado, señal de esperanza.

Navidad

El tiempo de Navidad empieza el día de Navidad con la celebración del nacimiento del Hijo de Dios. Durante este tiempo celebramos que Dios está con nosotros. El color de la Navidad es el blanco, señal de gozo.

Cuaresma

Cuaresma es el tiempo en que deseamos acercarnos a Jesús por medio de la oración, el ayuno y la penitencia. Durante la Cuaresma rezamos y apoyamos a todos los que se están preparando para recibir los sacramentos de iniciación. Durante la Cuaresma nos preparamos para la celebración más importante de la Iglesia. Morado es el color litúrgico de Cuaresma, que significa penitencia.

Triduo

El Triduo Pascual es la celebración más importante de la Iglesia. La palabra *triduo* significa "tres". Durante esos tres días, desde el Jueves Santo en la tarde hasta el Domingo de Resurrección en la tarde, recordamos el regalo de Jesús de la Eucaristía, su muerte y resurrección. El color del Viernes Santo es el rojo, por el sufrimiento de Jesús. El color de los demás días del Triduo es el blanco.

The Liturgical Year

The liturgy is the official public prayer of the Church. In the liturgy we gather as a community joined to Christ to celebrate what we believe. The Church year is based on the life of Christ and the celebration of his life in the liturgy. So, the Church's year is called the *liturgical year.*

In one liturgical year we recall and celebrate the whole life of Jesus Christ. We celebrate his birth, younger years, his years of teaching and ministry, and most especially his suffering, Death, Resurrection, and Ascension into Heaven.

The readings we hear, the colors we see, and the songs we sing help us to know what season we are celebrating. The liturgical year begins in late November or early December with the season of Advent.

Advent

The season of Advent is a time of joyful preparation. We await the celebration of the Christmas season during which we remember the first coming of the Son of God. We celebrate that God comes into our lives every day. We look forward to Christ's second coming at the end of time. The color for Advent is purple, a sign of expectation.

Christmas

The season of Christmas begins on Christmas Day with the celebration of the birth of the Son of God. During this season we celebrate that God is with us. The color for Christmas is white, a sign of joy.

Lent

Lent is the season in which we strive to grow closer to Jesus through prayer, fasting, and penance. During Lent we pray for and support all who are preparing to receive the Sacraments of Christian Initiation. During Lent we prepare for the Church's greatest celebration. The color for Lent is purple, for penance.

Triduum

The Easter Triduum is the Church's greatest and most important celebration. The word *triduum* means "three days." During these three days, from Holy Thursday evening until Easter Sunday night, we remember Jesus' gift of the Eucharist, his Death, and his Resurrection. The color for Good Friday is red, for Jesus' suffering. The color for the other days of Triduum is white.

Pascua

Este tiempo empieza el Domingo de Resurrección en la tarde y continúa hasta el Domingo de Pentecostés. Durante este tiempo nos regocijamos en la resurrección de Jesús y la nueva vida que tenemos en Cristo. También celebramos la ascensión de Cristo al cielo. El color del Tiempo de Pascua es el blanco. El color de Pentecostés es el rojo que significa que el Espíritu Santo bajó a los apóstoles.

Tiempo Ordinario

Este tiempo se celebra en dos partes: la primera entre Navidad y Cuaresma, y la segunda entre Pascua y Adviento. Durante este tiempo celebramos toda la vida de Cristo y aprendemos lo que significa vivir como sus discípulos. El color del Tiempo Ordinario es el verde que significa vida y esperanza.

Easter

The season of Easter begins on Easter Sunday evening and continues until Pentecost Sunday. During this season we rejoice in the Resurrection of Jesus Christ and the new life he shares with us. We also celebrate Christ's Ascension into Heaven. The color for the Easter season is white, while the color for Pentecost is red and signifies the descent of the Holy Spirit upon the Apostles.

Ordinary Time

The season of Ordinary Time is celebrated in two parts: the first part is between Christmas and Lent, and the second part is between Easter and Advent. During this time we celebrate the whole life of Christ and learn the meaning of living as his disciples. The color for Ordinary Time is green, a sign of life and hope.

Los siete sacramentos

Símbolos de los sacramentos	¿Qué celebramos?	¿Quién es el ministro ordinario?
Bautismo 	Somos librados del pecado, nos da la vida de Dios (la gracia) y nos hace miembros de la Iglesia.	Un obispo, un sacerdote o un diácono
Confirmación 	Somos sellados con el don del Espíritu Santo y somos fortalecidos.	Un obispo
Eucaristía 	Somos alimentados con el Cuerpo y la Sangre de Cristo. La Iglesia cumple el mandamiento de Jesús en la última cena, "Hagan esto en memoria mía".	Un sacerdote o un obispo
Penitencia 	Expresamos nuestro arrepentimiento por nuestros pecados y somos reconciliados con Dios y con la Iglesia.	Un sacerdote o un obispo
Unción de los Enfermos 	Las personas gravemente enfermas y los ancianos son fortalecidos y consolados.	Un sacerdote o un obispo
Orden Sagrado 	Hombres son ordenados diáconos, sacerdotes y obispos para servir como ministros de Dios en la Iglesia.	Un obispo
Matrimonio 	Un hombre y una mujer bautizados se comprometen y son bendecidos para ser responsables y fieles en el matrimonio.	Los novios

The Seven Sacraments

Symbols of the Sacraments	Why Do We Celebrate?	Who Is the Ordinary Minister?
Baptism 	We are freed from sin, given the gift of God's life (grace), and become members of the Church.	bishop, priest, or deacon
Confirmation 	We are sealed with the Gift of the Holy Spirit and are strengthened.	bishop
Eucharist 	We are nourished with Christ's own Body and Blood. The Church fulfills the command of Jesus at the Last Supper to "do this in memory of me."	priest or bishop
Penance 	We express contrition for our sins, and we are reconciled with God and the Church.	priest or bishop
Anointing of the Sick 	The seriously ill and/or the elderly are strengthened and comforted.	priest or bishop
Holy Orders 	Baptized men are ordained deacons, priests, and bishops to serve as God's ministers to the Church.	bishop
Matrimony 	A baptized man and woman commit themselves to each other and are blessed to carry out the responsibilities of marriage in faithfulness.	man and woman being married

Símbolos de los sacramentos

	¿Qué vemos?	¿Qué escuchamos?
Bautismo 	Derramar agua sobre la cabeza del bautizado o sumergirlo en una piscina bautismal	"(nombre), yo te bautizo en elnombre del Padre, y del Hijo, y del Espíritu Santo".
Confirmación 	Imposición de las manos mientras se unge la frente con aceite	"(nombre) recibe el don del Espíritu Santo".
Eucaristía 	El sacerdote quien, por el poder del Espíritu Santo, consagra el pan y el vino que se convierten en el Cuerpo y la Sangre de Cristo. El que comulga recibe el Cuerpo y la Sangre de Cristo	El sacerdote dice las palabras de consagración: "Esto es mi cuerpo. . ." "Este es el cáliz de mi sangre. . ." "El Cuerpo de Cristo". El que comulga dice "Amén" al "Cuerpo de Cristo" y a "la Sangre de Cristo".
Penitencia 	Un sacerdote extiende su mano derecha o ambas manos sobre la cabeza del penitente y dice las palabras de la absolución	". . . te absuelvo de tus pecados en el nombre del Padre, y del Hijo y del Espíritu Santo".
Unción de los Enfermos 	La frente y las manos del enfermo son ungidas e imposición de las manos de los enfermos	"Por esta santa unción y por su bondadosa misericordia, te ayude el Señor con la gracia del Espíritu Santo. Para qué, libre de tus pecados te conceda la salvación y te conforte en tu enfermedad".
Orden Sagrado 	Imposición de las manos, unción de las manos del recién ordenado	"Escucha, Señor, nuestra oración, para que, al derramar sobre este siervo tuyo la plenitud de tu gracia sacerdotal, descienda sobre él la fuerza de tu bendición".
Matrimonio 	Los novios unen sus manos	"Yo, N., te recibo a ti, N., como esposa(o) y prometo serte fiel, en lo favorable y en lo adverso, con salud o enfermedad, y, así, amarte y respetarte todos los días de mi vida".

Symbols of the Sacraments

	What Do We See?	What Do We Hear?
Baptism 	Pouring of water over forehead or immersion in baptismal pool	"(Name), I baptize you in the name of the Father, and of the Son, and of the Holy Spirit."
Confirmation 	Laying on of hand while anointing with Chrism on forehead	"(Name), be sealed with the Gift of the Holy Spirit."
Eucharist 	The priest, who through the power of the Holy Spirit, consecrates the bread and wine which become the Body and Blood of Christ. Communicants receiving the Body and Blood of Christ	The priest saying the words of Consecration, "This is my Body. . . ." "For this is the Chalice of my Blood. . . ." The communicants responding "Amen" to "The Body of Christ" and "The Blood of Christ."
Penance 	Priest extends right hand or both hands over head of penitent and says words of absolution.	". . . I absolve you from your sins in the name of the Father, and of the Son, and of the Holy Spirit."
Anointing of the sick 	Anointing of the sick on their foreheads and hands; laying on of hands on heads of those who are ill	"Through this holy anointing may the Lord in his love and mercy help you with the grace of the Holy Spirit. May the Lord who frees you from sin save you and raise you up."
Holy Orders 	Laying on of hands; anointing of the hands of newly-ordained priests	(For priests): "Almighty Father, grant this servant of yours the dignity of the priesthood. Renew within him the Spirit of holiness. . ."
Matrimony 	Joining of right hands by the man and woman	"I, (name), take you, [name], to be my wife [husband]. I promise to be true to you in good times and in bad, in sickness and in health. I will love you and honor you all the days of my life."

La misa

Ritos Iniciales

Entrada Acólitos, lectores, el diácono y el sacerdote proceden hacia el altar. La asamblea canta. El sacerdote y el diácono besan el altar haciendo una genuflexión.

Saludos El sacerdote y la asamblea hacen la señal de la cruz y el sacerdote nos recuerda que estamos en la presencia de Jesús.

Acto penitencial Reunidos en la presencia de Dios, la asamblea reconoce sus pecados y proclama el misterio del amor de Dios. Pedimos misericordia a Dios.

El Gloria Algunos domingos cantamos o rezamos este antiguo himno.

Oración coleta o inicial Esta oración expresa el tema de la celebración, las necesidades y esperanzas de la asamblea.

Liturgia de la Palabra

Primera lectura Esta lectura es generalmente tomada del Antiguo Testamento. Escuchamos sobre el amor y la misericordia de Dios para su pueblo antes de la venida de Cristo. Aprendemos la alianza de Dios con su pueblo y las formas en que vivieron esa alianza.

Salmo responsorial Después de reflexionar en silencio en la palabra de Dios, damos gracias a Dios por la palabra escuchada.

Segunda lectura Esta lectura es tomada generalmente de las cartas de los apóstoles, Hechos de los apóstoles o el Apocalipsis en el Nuevo Testamento. Escuchamos sobre los primeros discípulos, las enseñanzas de los apóstoles y el inicio de la Iglesia.

Proclamación del evangelio Nos ponemos de pie y cantamos Aleluya u otras palabras de alabanza. Esto demuestra que estamos listos para escuchar la buena nueva de Jesucristo.

Lectura del evangelio Esta lectura siempre es tomada de los evangelios de Mateo, Marcos, Lucas y Juan. Proclamada por el diácono o el sacerdote, esta lectura es sobre la misión y el ministerio de Jesús. Las palabras y acciones de Jesús que escuchamos hoy nos ayudan a vivir como sus discípulos.

Homilía El obispo, el sacerdote o el diácono nos hablan sobre las lecturas. Eso nos ayuda a entender el significado de la palabra de Dios hoy. Aprendemos lo que significa creer y ser miembros de la Iglesia. Nos acercamos a Dios y a los demás.

El credo Toda la asamblea reza el Credo de Nicea o el Credo de los Apóstoles. Nos ponemos de pie y en voz alta expresamos lo que creemos como miembros de la Iglesia.

Plegaria universal Rezamos por las necesidades del pueblo de Dios.

The Mass

Introductory Rites

Entrance Altar servers, readers, the deacon, and the priest celebrant process forward to the altar. The assembly sings as this takes place. The priest and deacon kiss the altar and bow out of reverence.

Greeting The priest and the assembly make the SIgn of the Cross, and the priest reminds us that we are in the presence of Jesus.

Act of Penitence Gathered in God's presence the assembly sees its sinfulness and proclaims the mystery of God's love. We ask for God's mercy in our lives.

Gloria On some Sundays we sing or say this hymn of praise.

Collect or Opening Prayer This prayer expresses the theme of the celebration and the hopes and needs of the assembly.

Liturgy of the Word

First Reading This reading is usually from the Old Testament. We hear of God's love and mercy for his people before the time of Christ. We learn of God's covenant with his people and of the ways they lived his law.

Responsorial Psalm We reflect in silence as God's Word enters our hearts. Then we thank God for the Word we just heard.

Second Reading This reading is usually from the New Testament letters, the Acts of the Apostles, or the Book of Revelation. We hear about the first disciples, the teachings of the Apostles, and the beginning of the Church.

Alleluia or Gospel Acclamation We stand to sing the Alleluia or other words of praise. This shows we are ready to share the Good News of Jesus Christ.

Gospel This reading is always from the Gospel of Matthew, Mark, Luke, or John. Proclaimed by the deacon or priest, this reading is about the mission and ministry of Jesus Christ. Jesus' words and actions speak to us today and help us know how to live as his disciples.

Homily The bishop, priest, or deacon talks to us about the readings. His words help us understand what God's Word means to us today. We learn what it means to believe and be members of the Church. We grow closer to God and one another.

Profession of Faith The whole assembly prays together the Nicene Creed or the Apostles' Creed. We are stating aloud what we believe as members of the Church.

Prayer of the Faithful We pray for the needs of all God's people.

Liturgia de la Eucaristía

Preparación de las ofrendas Durante la preparación de las ofrendas, el diácono y los acólitos preparan el altar. Ofrecemos nuestros dones. Estos incluyen el pan, el vino y la colecta para la Iglesia y los necesitados. Como miembros de la asamblea, cantando llevamos el pan y el vino en procesión hacia el altar. El pan y el vino se colocan en el altar.

Oración sobre las ofrendas El sacerdote pide a Dios que bendiga y acepte nuestras ofrendas. Respondemos: "Bendito seas por siempre Señor".

Plegaria eucarística La plegaria eucarística es la oración más importante de la Iglesia. Esta es nuestra mayor oración de adoración y acción de gracias. Nos unimos a Cristo y a los demás. El inicio de la oración, el prefacio, consiste en alabar y dar gracias a Dios. Cantamos: "Santo, Santo, Santo". En el resto de la oración invocamos al Espíritu Santo para que bendiga las ofrendas de pan y vino; la consagración del pan y el vino recuerdan las palabras y gestos de Jesús en la última cena, recuerdan la pasión, muerte y resurrección y ascensión; recordando que la Eucaristía es ofrecida por la Iglesia en el cielo y en la tierra; alabamos a Dios y rezamos el gran "Amén" en amor a Dios; Padre, Hijo y Espíritu Santo.

Rito de la comunión Nos preparamos para recibir el Cuerpo y la Sangre de Cristo como alimento espiritual en la comunión.

Padrenuestro Jesús nos dio esta oración que rezamos en voz alta o cantamos al Padre.

Rito de la paz Rezamos para que la paz de Cristo esté siempre con nosotros. Nos damos el saludo de la paz para mostrar que estamos unidos en Cristo.

Partir el pan Rezamos en voz alta el Cordero de Dios, pedimos a Jesús misericordia, perdón y paz. El sacerdote parte la Hostia y somos invitados a compartir la Eucaristía.

La comunión Se nos muestra la Hostia a cada persona que va a comulgar y escuchamos: "El Cuerpo de Cristo". Se nos muestra la copa y escuchamos: "La Sangre de Cristo". Cada persona responde: "Amén" y recibe la comunión. Mientras se recibe la comunión todos cantamos. Después,reflexionamos en el don de Jesús que hemos recibido y la presencia de Dios en nosotros. El sacerdote reza para que el don de Jesús nos ayude a vivir como discípulo de Jesús.

Rito de Conclusión

Saludos El sacerdote ofrece la oración final. Sus palabras son una promesa de que Jesús estará con nosotros siempre.

Bendición El sacerdote nos bendice en el nombre del Padre, del Hijo y del Espíritu Santo. Hacemos la señal de la cruz mientras él nos bendice.

Despedida El diácono o el sacerdote termina la misa y nos envía. El sacerdote o el diácono besan el altar. Ellos, junto con otros ministros de la misa, hacen una reverencia y salen cantando.

Liturgy of the Eucharist

Preparation of the Gifts The altar is prepared by the deacon and the altar servers. We offer gifts. These gifts include the bread and wine and the collection for the Church and for those in need. As members of the assembly carry the bread and wine in a procession to the altar, we sing. The bread and wine are placed on the altar.

Prayer over the Offering The priest asks God to bless and accept our gifts. We respond, "Blessed be God for ever."

Eucharistic Prayer This is the most important prayer of the Church. It is our greatest prayer of praise and thanksgiving. It joins us to Christ and to one another. The beginning of this prayer, the Preface, consists of offering God thanksgiving and praise. We sing together "Holy, Holy, Holy." The rest of the prayer consists of: calling on the Holy Spirit to bless the gifts of bread and wine; the Consecration of the bread and wine, recalling Jesus' words and actions at the Last Supper; recalling Jesus' Passion, Death, Resurrection, and Ascension; remembering that the Eucharist is offered by the Church in Heaven and on earth; praising God and praying a great "Amen" in love of God: Father, Son, and Holy Spirit.

Communion Rite We prepare to receive the Body and Blood of Jesus Christ as spiritual food in Holy Communion.

Lord's Prayer Jesus gave us this prayer that we pray aloud or sing to the Father.

Rite of Peace We pray that Christ's peace be with us always. We offer one another a Sign of Peace to show that we are united in Christ.

Breaking of the Bread We say aloud or sing the Lamb of God, asking Jesus for his mercy, forgiveness, and peace. The priest breaks apart the Host, and we are invited to share in the Eucharist.

Holy Communion Each person receiving Communion is shown the Host and hears "The Body of Christ." Each person is shown the cup and hears "The Blood of Christ." Each person responds "Amen" and receives Holy Communion. While people are receiving Holy Communion, we sing as one. After this we silently reflect on the gift of Jesus that we have just received and of God's presence with us. The priest then prays that the gift of Jesus will help us live as Jesus' disciples.

Concluding Rites

Greeting The priest offers the final prayer. His words serve as a farewell promise that Jesus will be with us all.

Blessing The priest blesses us in the name of the Father, Son, and Holy Spirit. We make the Sign of the Cross as he blesses us.

Dismissal The deacon or priest end the Mass and sends the assembly forth. The priest and deacon then kiss the altar. They, along with other ministers at the Mass, bow to the altar, and process out as we sing the closing song.

Rito de la Penitencia

La Iglesia tiene dos formas de celebrar el sacramento de la Penitencia y Reconciliación. Rito individual, cuando una persona celebra sola el sacramento con el sacerdote y el rito comunitario, cuando un grupo de personas se reúnen para celebrar el sacramento con uno o más sacerdotes.

Rito de reconciliación individual

Primero, examino mi conciencia antes de encontrarme con el sacerdote.

Saludos El sacerdote me saluda y hago la señal de la cruz. El sacerdote me pide confiar en la misericordia de Dios.

Lectura bíblica El sacerdote o yo lee algo de la Biblia.

Confesión y penitencia Confieso mis pecados. El sacerdote me habla sobre amar a Dios y a los demás. El sacerdote me impone una penitencia.

Oración del penitente y absolución Rezo un acto de contrición: El sacerdote extiende su mano y me da la absolución.

Proclamación de la alabanza y despedida El sacerdote dice "Da gracias a Dios porque es bueno". Respondo: "Su misericordia es eterna". El sacerdote me despide diciendo: "Alégrate en el Señor. Vete en paz".

Rito de la reconciliación con varios penitentes con confesión y absolución individual

Ritos introductorios Nos reunimos en asamblea y cantamos un himno para iniciar. El sacerdote nos saluda y hace una oración.

Celebración de la Palabra de Dios
Escuchamos la palabra de Dios seguida de una homilía. Cada uno examina su conciencia.

Rito de reconciliación La asamblea hace un acto de contrición. Podemos hacer otra oración o cantar un himno y rezar un Padrenuestro.

Nos reunimos individualmente con el sacerdote y confesamos nuestros pecados. El sacerdote me habla sobre amar a Dios y a los demás y me impone una penitencia.

El sacerdote extiende su mano derecha y me da la absolución.

Después que cada uno se ha reunido con el sacerdote damos gracias a Dios por su amor y perdón. El sacerdote hace una oración final dando gracias a Dios.

Rito de conclusión El sacerdote nos bendice y despide la asamblea diciendo: "Alégrate en el Señor. Vete en paz".

Rites of Penance

The Church has two ways to celebrate the Sacrament of Penance and Reconciliation. One way, or rite, is used when an individual meets with the priest for the celebration of the sacrament. The other rite is used when a group gathers to celebrate the sacrament with one or more priests.

Rite for Reconciliation of Individual Penitents

I examine my conscience before meeting with the priest.

Welcoming The priest greets me and I make the Sign of the Cross. The priest asks me to trust in God's mercy.

Reading of the Word of God The priest or I may read something from the Bible.

Confession and Penance I confess my sins. The priest talks to me about loving God and others. He gives me a penance.

Prayer of Penitent and Absolution I pray an Act of Contrition. The priest extends his hand and gives me absolution.

Proclamation of Praise and Dismissal The priest says, "Give thanks to the Lord, for he is good." I respond, "His mercy endures for ever." The priest sends me out saying, "The Lord has freed you from your sins. Go in peace."

Rite for Reconciliation of Several Penitents with Individual Confession and Absolution

Introductory Rites We gather as an assembly and sing an opening hymn. The priest greets us and prays an opening prayer.

Celebration of the Word of God The assembly listens to the Word of God. This is followed by a homily and then by our examination of conscience.

Rite of Reconciliation The assembly prays together an Act of Contrition. We may say another prayer or sing a song, and then pray the Our Father.

I meet individually with the priest and confess my sins. The priest talks to me about loving God and others. He gives me a penance.

The priest extends his hand and gives me absolution.

After everyone has met with the priest, we join together and praise God for his mercy. The priest then offers a prayer of thanksgiving.

Concluding Rite The priest blesses us, and dismisses the assembly saying, "The Lord has freed you from your sins. Go in peace." We respond, "Thanks be to God."

Examen de conciencia

Cuando examinamos nuestra conciencia damos gracias a Dios por darnos la fortaleza para tomar buenas decisiones. Reflexionar en las decisiones que hemos tomado nos ayuda a tomar decisiones que nos acercan a Dios. Piensa en como has cumplido cada mandamiento. Los Diez Mandamientos nos obligan con Dios y con nuestro prójimo. La lista de los mandamientos se encuentra en la página 114.

Primer mandamiento
- ¿Trato de amar a Dios sobre todas las cosas?
- ¿Creo, confío y amo a Dios verdaderamente?
- ¿Rezo todos los días?
- ¿Cómo participo activamente para alabar a Dios en la misa y en la celebración de otros sacramentos?

Segundo mandamiento
- ¿Respeto el nombre de Dios y el nombre de Jesús?
- ¿Cómo he usado el nombre de Dios?
- ¿He pedido ayuda a Dios para acercarme a él?
- ¿Cómo me comporto en la iglesia?

Tercer mandamiento
- ¿Cómo he mantenido santo el día del Señor?
- ¿Qué hago para participar en la misa los domingos?
- Los domingos, ¿paso tiempo con mi familia? ¿ayudo a otros? ¿alabo y doy gracias a Dios?

Cuarto mandamiento
- ¿Agradezco a mis padres, abuelos, tutores, en todo?
- ¿Ayudo a mis mayores?
- ¿Respeto a mis hermanos?
- ¿Cómo muestro respeto por los mayores?
- ¿Obedezco a mis maestros y superiores?
- ¿He cumplido las leyes de mi ciudad, estado o país?

Quinto mandamiento
- ¿He respetado la dignidad de todas las personas?
- ¿He mostrado, con mis acciones, que toda persona tiene derecho a vivir?
- ¿He hecho algo que pudo dañarme o dañar a los demás?
- ¿He hablado en contra de la violencia y la injusticia?
- ¿He vivido en paz con mi familia y vecinos?

Sexto mandamiento
- ¿Me he respetado como creación especial de Dios?
- ¿Muestran mis acciones amor y respeto por mí y por los demás?
- ¿Uso mi cuerpo fiel y correctamente?

Séptimo mandamiento
- ¿He respetado los dones de la creación?
- ¿He cuidado de mis pertenencias?
- ¿He tomado cosas que no me pertenecen?
- ¿He sido honesto cuando tomo mis exámenes y cuando juego con mis amigos?
- ¿He respetado las propiedades ajenas?
- ¿He compartido lo que tengo con los necesitados?

Octavo mandamiento
- ¿He sido responsable de mis palabras y he hablado la verdad?
- ¿He respetado los secretos de los demás?
- ¿He cumplido con mi palabra?

Noveno mandamiento
- ¿Me alejo de los que no valoran la sexualidad humana?
- ¿Trato de mostrar mis sentimientos con respeto?
- ¿Cómo practico la modestia, la virtud que nos ayuda a hablar, pensar, actuar y vestir en forma que muestre respeto por nosotros mismos y los demás?

Décimo mandamiento
- ¿Deseo las cosas de los demás?
- ¿Estoy triste por no tener cosas que quiero?
- ¿Estoy dispuesto a compartir con otros, especialmente los pobres y necesitados?
- ¿Doy de mi dinero a los pobres?
- ¿Me conformo con lo que tengo o siempre quiero más?

An Examination of Conscience

When we examine our consciences, we can thank God for giving us the strength to make good choices. Reflecting on the choices we have made helps us to make choices that bring us closer to God. Take a few minutes to think quietly and prayerfully about ways you follow each of the commandments. The Ten Commandments state serious obligations to God and our neighbor. The list of commandments is on page 115.

The First Commandment

- Do I try to love God above all things?
- Do I really believe in, trust, and love God?
- Do I pray to God sometime each day?
- How do I take an active part in the worship of God, especially in the Mass and the other sacraments?

The Second Commandment

- Do I respect God's name and the name of Jesus?
- How have I used God's name?
- Have I called on God and asked him to be with me?
- How do I act when I am in church?

The Third Commandment

- How have I kept the Lord's Day holy?
- What do I do to participate in Mass every Sunday?
- On Sundays in what ways have I rested and relaxed? shared time with my family? praised and thanked God?

The Fourth Commandment

- Do I obey my parents, grandparents, or guardians in all that they ask me?
- Do I help them?
- Do I respect my brothers and sisters?
- How have I shown respect for older people?
- Do I obey my teachers and others in authority?
- Have I followed the laws of my city, state, and country?

The Fifth Commandment

- Have I respected the dignity of all people?
- Have I shown by my actions that all people have the right to life?
- Have I done anything that could harm myself or others?
- Have I spoken out against violence and injustice?
- Have I lived in peace with my family and neighbors?

The Sixth Commandment

- Do I honor myself as special and created by God?
- Do my actions show love and respect for myself and others?
- Do I use my body in responsible and faithful ways?

The Seventh Commandment

- Have I cared for the gifts of Creation?
- Have I taken care of my belongings?
- Have I taken things that do not belong to me?
- Have I been honest in taking tests and playing games?
- Have I respected the property of others?
- Have I shared what I have with those in need?

The Eighth Commandment

- Have I taken responsibility for my words and been truthful?
- Have I respected the privacy of others?
- Have I made promises that I did not keep?

The Ninth Commandment

- Do I stay away from things and people who do not live by the virtue of chastity and do not value human sexuality?
- Do I try to show my feelings in a respectful way?
- In what ways do I practice modesty, the virtue by which we think, speak, act, and dress in ways that show respect for ourselves and others?

The Tenth Commandment

- Do I wish that I had things that belong to others?
- Am I sad when others have things that I would like?
- Am I willing to share with others, especially people who are poor and needy?
- Do I give money to the poor and needy?
- Am I happy with what I have or am I always asking for more things?

Sacramento del Orden

Orden Sagrado es el sacramento por medio del cual hombres bautizados son ordenados para servir en la Iglesia como diáconos, sacerdotes y obispos. Es un sacramento de servicio a la comunión—un sacramento de servicio a los demás. Mientras que hay muchos ministros en la Iglesia, los diáconos, los sacerdotes y los obispos son los únicos ministros ordenados. Los que reciben el sacramento del Orden tienen una misión especial de dirigir y servir al pueblo de Dios.

En el sacramento del Orden:

Los que reciben el sacramento son sellados por siempre con un carácter sacramental. Esto los une a Cristo y los marca para servir por siempre a Cristo y la Iglesia. Así el sacramento del Orden no se puede repetir.

Diáconos Por medio del Orden, un diácono comparte la misión de Cristo ayudando a los obispos y a los sacerdotes en la misión de la Iglesia. Algunos hombres, solteros o casados, se ordenan diáconos permanentes, son diáconos por toda la vida.

Otros hombres son ordenados diáconos como un paso hacia el sacerdocio.

Sacerdotes Un sacerdote es ordenado para predicar el evangelio y servir a los fieles, especialmente celebrando la Eucaristía y otros sacramentos.

Obispo Para ser ordenado obispo, un sacerdote debe ser escogido por el papa, con el consejo de otros obispos y miembros de la Iglesia. Un obispo recibe el sacramento del Orden y sigue la misión de los apóstoles de dirigir y servir.

Ordenación En el acto sacramental llamado *ordenación*, obispos, sacerdotes y diáconos reciben uno o más de los tres grados del orden: episcopal (obispo), presbítero (sacerdote) y diaconado (diácono). Un obispo siempre ordena a otro obispo, así como a los candidatos al sacerdocio y al diaconado.

La celebración del Orden siempre tiene lugar durante una misa. Después de que el obispo celebrante ofrece la homilía, él habla a los hombres a ser ordenados sobre sus responsabilidades para dirigir y servir en nombre de Jesús. Después toda la asamblea reza por esos hombres.

The Sacrament of Holy Orders

Holy Orders is the sacrament in which baptized men are ordained to serve the Church as deacons, priests, and bishops. It is a Sacrament at the Service of Communion—a sacrament of service to others. While there are many ministries in the Church, deacons, priests, and bishops are the only ordained ministers. Those who receive Holy Orders take on a special mission in leading and serving the People of God.

In the Sacrament of Holy Orders:

Those who receive Holy Orders are forever sealed with a sacramental character. This joins them to Christ and marks them as forever in the service of Christ and the Church. Thus, the Sacrament of Holy Orders cannot be repeated.

Deacons Through Holy Orders, a deacon shares in Christ's mission by assisting bishops and priests in the mission of the Church. Some men, single or married, become permanent deacons, remaining deacons for life.

Other men remain unmarried and become deacons as a step toward the priesthood. Having been ordained as deacons, they continue on to be ordained into the priesthood.

Priests A priest is ordained to preach the Gospel and serve the faithful, especially celebrating the Eucharist and other sacraments.

Bishops To become a bishop, a priest must be chosen by the pope, with the advice of other bishops and Church members. A bishop receives the fullness of the Sacrament of Holy Orders and continues the Apostles' mission of leadership and service.

Ordination In the sacramental act called *ordination*, bishops, priests, and deacons receive one or more of the three degrees of orders: episcopate, (bishops) presbyterate (priests), and diaconate (deacons). A bishop always ordains a newly chosen bishop, as well as candidates for the priesthood and diaconate.

The celebration of Holy Orders always takes place during the Mass. After the bishop celebrant gives a homily, he talks to the men to be ordained, questioning them about their responsibilities to lead and serve in Jesus' name. Then the whole assembly prays for these men.

Después que la asamblea reza tiene lugar la imposición de las manos. Durante esta imposición, el obispo celebrante reza en silencio. Cuando el sacerdote es ordenado, los demás sacerdotes presentes en la ceremonia también imponen las manos al candidato. Esto es señal de su unidad en el sacerdocio y servicio en la diócesis. Cuando un obispo es ordenado, otro obispo impone las manos sobre el obispo electo como señal de su unidad en el servicio a la Iglesia.

Después de la imposición de las manos, el obispo celebrante reza la consagración que es diferente para cada grado. El obispo celebrante extiende sus manos y por el poder del Espíritu Santo ordena a cada hombre para continuar el ministerio de Jesús en un servicio especial en la Iglesia. La imposición de las manos y la oración de la consagración son las partes principales en el sacramento del Orden.

Los recién ordenados son presentados con señales de sus servicios y ministerios en la Iglesia. En la ordenación:

- Diáconos reciben una estola, la que debe ser usada cruzando desde el hombro izquierdo y abotonada en el derecho, un símbolo de ministerio, y un libro de los evangelios, como señal de predicar la buena nueva de Cristo.
- Sacerdotes llevan sus estolas sobre el cuello colgando en el pecho; las palmas de sus manos han sido ungidas para que puedan santificar al pueblo de Dios por medio de los sacramentos. Reciben un cáliz y una patena como signo de que celebrarán la Eucaristía para ofrecer el sacrificio al Señor.
- La cabeza de los obispos es ungida y reciben una mitra, un sombrero, como signo del oficio del obispo, un anillo, como signo de fidelidad a Cristo y la Iglesia y un básculo, como signo del papel del obispo como pastor del rebaño de Cristo.

After the assembly's prayer, the laying on of hands takes place. During the laying on of hands, the bishop celebrant prays in silence. When a priest is ordained, the other priests who are present also lay their hands upon the candidate. This is a sign of their unity in priesthood and service to the diocese. When a bishop is ordained, other bishops lay their hands upon the bishop-elect as a sign of their unity in service to the Church.

After the laying on of hands, the bishop celebrant prays the prayer of consecration, which is different for each degree of orders. The bishop celebrant extends his hands, and by the power of the Holy Spirit ordains each man to continue Jesus' ministry in a particular service in the Church. The laying on of hands and the prayer of consecration are the main parts of the Sacrament of Holy Orders.

The newly ordained men are presented with signs of their service and ministry in the Church. At ordination:

- Deacons receive a stole, which is to be worn across the left shoulder and fastened at the right, a sign of ministry, and the Book of the Gospels, a sign of preaching the Good News of Christ.
- Priests have their stoles placed around the neck and down over the chest; they have the palms of their hands anointed so that they can make the People of God holy through the sacraments. They receive a chalice and a paten, signs that they may celebrate the Eucharist to offer the sacrifice of the Lord.
- Bishops' heads are anointed, and they receive a miter or pointed hat, a sign of the office of bishop; a ring, a sign of faithfulness to Christ and the Church; and a pastor staff, a sign of a bishop's role as shepherd of Christ's flock.

El sacramento del Matrimonio

El sacramento del Matrimonio es el sacramento por medio del cual un hombre y una mujer se comprometen a ser fieles por el resto de sus vidas. Es un sacramento de servicio a la comunión.

La Iglesia ve el matrimonio como una alianza. La alianza matrimonial es el compromiso de por vida entre un hombre y una mujer para vivir como fieles compañeros. Está modelado en el amor de Cristo por la Iglesia, algunas veces llamada la novia de Cristo.

El amor que un marido y una esposa comparten es un signo del amor de Dios por su pueblo. Es un signo del amor de Cristo por su Iglesia. El amor entre un hombre y una mujer debe ser generoso, fiel y completo.

Una vez Jesús estaba enseñando sobre el matrimonio y dijo: "Lo que Dios ha unido no lo separe el hombre" (Mateo 19:6). Así, Cristo y la Iglesia nos enseñan que la alianza matrimonial no se debe romper. En el sacramento del Matrimonio, los esposos se prometen ser leales y fieles por el resto de sus vidas. Si una pareja de casados tiene problemas en su relación, deben ir a su familia o a un sacerdote para pedir ayuda y oración. La gracia de Dios sigue ayudando a los casados, especialmente en los sacramentos de la Eucaristía y la Penitencia.

La expresión de amor de los esposos incluye la procreación y educación de los niños en la fe. Con la ayuda de la gracia de Dios, los esposos son llamados a crear y alimentar una familia amorosa, una comunidad de fe, esperanza y caridad.

Cada familia es llamada a ser una iglesia doméstica, "una iglesia en el hogar". Es en la familia donde aprendemos a rezar y a adorar a Dios, a perdonar y pedir perdón, a ser discípulos de Jesús, ayudando a consolar a otros, especialmente a los más necesitados.

La celebración del sacramento del Matrimonio con frecuencia tiene lugar dentro de una misa. El rito del Matrimonio tiene lugar después de la proclamación del evangelio. El rito del Matrimonio empieza cuando el sacerdote o el diácono hace tres preguntas a la pareja. ¿Son libres de darse uno al otro en matrimonio? ¿Se amarán y honrarán como esposos durante toda la vida? ¿Aceptarán los hijos que Dios les envíe para criarlos en la fe?

Después los novios intercambian los votos. El diácono o el sacerdote pide a Dios llene la vida de la pareja de muchas bendiciones. Después el diácono o el sacerdote bendice los anillos y la pareja los intercambia como señal de amor y fidelidad. Después la asamblea reza la oración de los fieles, la misa continúa con la Liturgia de la Eucaristía. Después de rezar el Padrenuestro, el sacerdote hace una oración especial por la pareja. Los novios, si son católicos, reciben la comunión como señal de su unión con Cristo.

The Sacrament of Matrimony

The Sacrament of Matrimony is the sacrament in which a man and woman become husband and wife, and promise to be faithful to each other for the rest of their lives. It is a Sacrament at the Service of Communion.

The Church sees marriage as a covenant. The marriage covenant is the life-long commitment between a man and a woman to live as faithful and loving partners. It is modeled on Christ's love for the Church, sometimes called the Bride of Christ.

The love that a husband and a wife share with each other is a sign of God's love for all his people. It is a sign of Christ's love for his Church. The love between a husband and wife is meant to be generous, faithful, and complete.

Once Jesus was teaching about marriage, and he said "what God has joined together, no human being must separate" (Matthew 19:6). Thus, Christ and the Church teach us that the marriage covenant is not to be broken. In the Sacrament of Matrimony, the husband and wife promise to be loyal and true to each other for the rest of their lives. If a married couple does have problems in their relationship, they can turn to their family and the parish community for prayer and support. And God's grace continues to help husbands and wives, especially in the Sacraments of the Eucharist and Penance.

The married couple's expression of their love includes the procreation of children, and the education of the children in the faith. With the help of God's grace, married couples are called to create and nurture a loving family, a community of faith, hope, and love.

Every family is called to be a domestic Church, "a Church in the home." It is in the family that we learn to pray and worship God together, to forgive and be forgiven, and to be disciples of Jesus, helping and comforting others, especially those in need.

The celebration of the Sacrament of Matrimony often takes place within the Mass. The Rite of Marriage takes place after the Gospel is proclaimed. The Rite of Marriage begins as the priest or deacon asks the couple three questions. Are they free to give themselves in marriage? Will they love and honor each other as husband and wife throughout their lives? Will they lovingly accept children from God and raise them in the faith?

Then the bride and groom exchange their vows. The deacon or priest asks God to fill the couple's lives with many blessings. Then the deacon or priest blesses the rings, and the couple exchanges them as a sign of their love and faithfulness. After the assembly prays the Prayer of the Faithful, the Mass continues with the Liturgy of the Eucharist. After the Lord's Prayer, the priest prays a special prayer for the couple. The bride and groom, if they are Catholic, receive Holy Communion as a sign of their union with Christ.

Vocaciones

En el Bautismo Dios nos llama a servirlo. Una vocación es un llamado de Dios a servirlo en forma especial. Cada bautizado tiene una vocación de amar y servir a Dios. Hay formas específicas de seguir nuestra vocación: la vida de casado, la vida de soltero, la vida religiosa y el sacerdocio.

Muchos católicos viven su vocación como laicos en la vida matrimonial o como solteros. Los esposos comparten el amor de Dios de forma especial y formando una familia cristiana. Ellos usan el tiempo y sus energías para amarse y compartir su fe con sus familias, pero pueden también servir a otros en sus parroquias, vecindarios y comunidades.

Los solteros con frecuencia se dedican a compartir sus dones y talentos con otros en el trabajo. Algunas veces toman responsabilidades extras de cuidar de sus padres o hermanos. Los solteros pueden tener más tiempo para dedicar a sus parroquias y comunidades locales.

Algunos hombres y mujeres siguen a Jesucristo en la vida religiosa. Son sacerdotes, hermanos, y religiosas que pertenecen a comunidades. Los miembros de las comunidades religiosas hacen votos o promesas a Dios. Esos votos son: *pobreza*—promesa religiosa de vivir simple como Jesús vivió. Ellos prometen no tener propiedades personales; *castidad*—promesa de vivir una vida célibe, permanecer solteros y dedicados al trabajo de Dios y la Iglesia; *obediencia*—promesa de escuchar cuidadosamente las direcciones de Dios en sus vidas obedeciendo a los líderes de la Iglesia y sus comunidades religiosas.

Algunos religiosos viven separados del mundo y pasan los días en oración. Otros combinan la oración con el servicio enseñando, en el trabajo social o médico.

Dios llama a algunos hombres a ser sacerdotes. Los sacerdotes prometen vivir una vida de celibato, mantenerse solteros. Eso les permite servir a todo el pueblo de Dios. Los sacerdotes diocesanos sirven a una diócesis. Sirven en el trabajo asignado a ellos por su obispo. Los sacerdotes en comunidades religiosas sirven donde su comunidad los envíe.

Cada persona puede prepararse para servir en una vocación en particular rezando y reflexionando en las formas en que Dios la puede estar llamando a vivir.

Vocations

In Baptism God calls all of us to serve him. A *vocation* is God's call to serve him in a particular way. Each baptized person has a vocation to love and serve God. There are specific ways to follow our vocation: the married or single life, the religious life, or the life of an ordained priest or permanent deacon.

Many Catholics live out their vocation as laypeople in the married life or the single life. Through marriage a husband and wife share God's love in a special way with each other and form a new Christian family. They spend much of their time and energy in loving, caring, and sharing their faith with their families, but can also serve others in their parishes, neighborhoods, and communities. Single people often devote themselves to sharing their gifts and talents with others through their work. They may have more time to dedicate to their parents, families, parishes, and local communities.

Some men and women follow Jesus Christ in the religious life. They are priests, brothers, or sisters who belong to religious communities and make vows, or promises to God. They promise: *poverty*—to live simply as Jesus did, owning no property or personal goods; *chastity*—to live a life of celibacy, remaining single and devoting themselves to the work of God and the Church; *obedience*—to listen carefully to God's direction in their lives by obeying the leaders of the Church and their religious communities.

Some religious live apart from the world spending their days in prayer. Others combine prayer and service in teaching, social work, or the medical field.

God calls some baptized men to be priests and permanent deacons. Priests promise to live a life of celibacy, remaining single. This allows them to serve all of God's people. Diocesan priests serve a diocese, usually in a parish. They serve in the work assigned to them by the bishop. Priests in religious communities serve wherever their communities need them.

Permanent deacons are often married and have an occupation or a career to support themselves and their families. They are ordained to assist the bishops and priests and to serve the whole Church. They preach, baptize, witness marriages, preside at burials, and at Mass they read the Gospel, prepare the altar, and distribute Holy Communion.

Each person can prepare to serve in a particular vocation by praying and reflecting on ways God might be calling him or her to live.

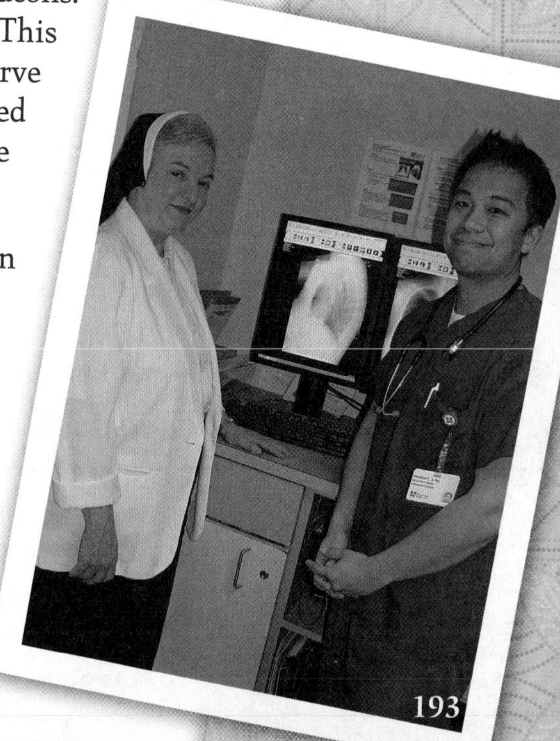

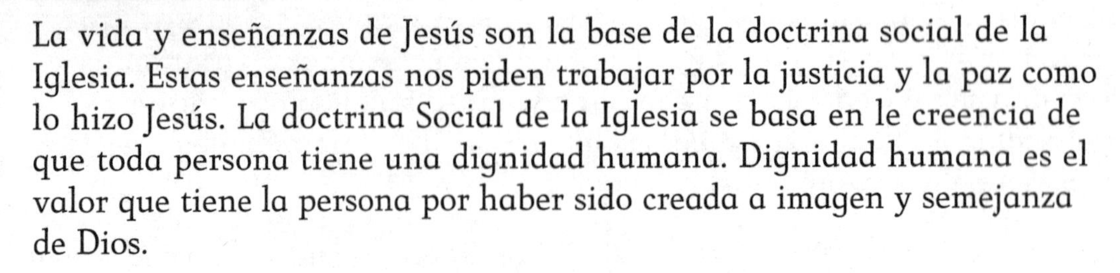

Doctrina social de la Iglesia

La vida y enseñanzas de Jesús son la base de la doctrina social de la Iglesia. Estas enseñanzas nos piden trabajar por la justicia y la paz como lo hizo Jesús. La doctrina Social de la Iglesia se basa en le creencia de que toda persona tiene una dignidad humana. Dignidad humana es el valor que tiene la persona por haber sido creada a imagen y semejanza de Dios.

La doctrina social de la Iglesia tiene siete temas.

Vida y dignidad de la persona La vida humana es sagrada porque es un don de Dios. Porque somos hijos de Dios, todos compartimos la misma dignidad humana. Como cristianos respetamos a todas las personas.

Llamada a la familia, la comunidad y a la participación Somos entes sociales. Necesitamos estar con otros para crecer. La familia es la comunidad básica. En la familia crecemos y aprendemos valores. Como cristianos estamos involucrados en la vida de nuestra familia y comunidad.

Derechos y responsabilidades de la persona Toda persona tiene derechos fundamentales en la vida. Estos incluyen las cosas que necesitamos para vivir: fe y familia, trabajo y educación, salud y vivienda. También tenemos una responsabilidad para ver con los demás y la sociedad. Trabajamos para asegurar que los derechos de todos sean protegidos.

Opción por los pobres y vulnerables Tenemos una obligación especial de ayudar a los pobres y necesitados. Esto incluye a los que no pueden protegerse debido a su edad o salud.

Dignidad del trabajo y derecho de los trabajadores Nuestro trabajo es un signo de nuestra participación en el trabajo de Dios. Todos tenemos derecho a un trabajo decente, justa paga, condiciones seguras de trabajo y participación en las decisiones sobre el trabajo.

Solidaridad de la familia humana Solidaridad es un sentimiento de unidad. Esto une a los miembros de un grupo. Cada uno de nosotros es miembro de la familia humana. La familia humana incluye a personas de todas las razas y culturas. Todos sufrimos cuando una parte de la familia humana sufre, no importa si está cerca o lejos.

Cuidado de la creación de Dios Dios nos creó a todos para ser mayordomos, administradores, de su creación. Debemos cuidar y respetar el medio ambiente. Debemos protegerlo para futuras generaciones. Cuando cuidamos de la Creación, mostramos respeto a Dios, el creador.

Nota: Las **obras corporales de misericordia** se encuentran en la página 146. Las **obras espirituales de misericordia** se encuentran en la página 148.

Catholic Social Teaching

Jesus' life and teaching are the foundation of Catholic social teaching. This teaching calls us to work for justice and peace as Jesus did. Catholic social teaching is based on the belief that every person has human dignity. Human dignity is the value and worth that come from being created in God's image and likeness.

There are seven themes of Catholic social teaching.

Life and Dignity of the Human Person Human life is sacred because it is a gift from God. Because we are all God's children, we all share the same human dignity. As Christians we respect all people, even those we do not know.

Call to Family, Community, and Participation We are all social. We need to be with others to grow. The family is the basic community. In the family we grow and learn the values of our faith. As Christians we live those values in our family and community.

Rights and Responsibilities of the Human Person Every person has a fundamental right to life. This includes the things we need to have a decent life: faith and family, work and education, health care and housing. We also have a responsibility to others and to society. We work to make sure the rights of all people are being protected.

Option for the Poor and Vulnerable We have a special obligation to help those who are poor and in need. This includes those who cannot protect themselves because of their age or their health.

Dignity of Work and the Rights of Workers Our work is a sign of our participation in God's work. People have the right to decent work, just wages, safe working conditions, and to participate in decisions about work.

Solidarity of the Human Family Solidarity is a feeling of unity. It binds members of a group together. Each of us is a member of the one human family. The human family includes people of all racial and cultural backgrounds. We all suffer when one part of the human family suffers whether they live near or far away.

Care for God's Creation God created us to be stewards, or caretakers, of his Creation. We must care for and respect the environment. We have to protect it for future generations. When we care for Creation, we show respect for God the Creator.

Note: The **Corporal Works of Mercy** are found on page 147.
The **Spiritual Works of Mercy** are found on page 149.

Los dones del Espíritu Santo

Los dones del Espíritu Santo Cuando somos bautizados el Espíritu Santo comparte siete dones espirituales con nosotros. Esos dones nos ayudan a ser fieles seguidores de Jesucristo. Los dones del Espíritu son:

- sabiduría—Nos ayuda a ver y a seguir la voluntad de Dios en nuestras vidas.
- inteligencia—Nos ayuda a amar a los demás como Jesús nos pide.
- consejo—Nos ayuda a tomar buenas decisiones.
- fortaleza—Nos fortalece para ser testigos de nuestra fe en Cristo.
- ciencia—Nos lleva a aprender más sobre Dios y su plan.
- piedad—Hace posible que amemos y respetemos todo lo que Dios ha creado.
- temor de Dios—Nos ayuda a ver la presencia y el amor de Dios que llena a toda la creación.

Frutos del Espíritu Santo Cuando respondemos al Espíritu Santo, y usamos los dones que recibimos, los frutos del Espíritu Santo son evidentes en nuestras vidas. Los frutos del Espíritu Santo son: caridad, gozo, paz, fidelidad, mansedumbre, templanza, longanimidad, benignidad, modestia, castidad, paciencia, bondad.

Los preceptos de la Iglesia
(Del *Catecismo de la Iglesia Católica,* 2041–2043)

1. Oír misa entera todos los domingos y demás fiestas de precepto y no realizar trabajos serviles.
2. Confesar los pecados al menos una vez al año.
3. Recibir el sacramento de la Eucaristía al menos por Pascua.
4. Abstenerse de comer carne y ayunar en los días establecidos por la Iglesia.
5. Ayudar a la Iglesia en sus necesidades.

Responding to the Holy Spirit

The Gifts of the Holy Spirit When we are baptized, the Holy Spirit shares seven spiritual gifts with us. These gifts help us to be faithful followers of Jesus Christ. The Gifts of the Holy Spirit are:

- wisdom—helps us to know and be able to follow God's will in our lives
- understanding—helps us to love others as Jesus calls us to do
- counsel (right judgment)—helps us to make good choices
- fortitude (courage)—helps us to be strong in giving witness to our faith in Jesus Christ
- knowledge—helps us to learn more about God and his plan
- piety (reverence)—helps us to have a love and respect for all that God has created
- fear of the Lord (wonder and awe)—helps us to recognize that God's presence and love fills all creation

The Fruits of the Holy Spirit When we respond to the Holy Spirit and use the gifts we have received, the Fruits of the Holy Spirit are evident in our lives. The Fruits of the Holy Spirit are charity, joy, peace, patience, kindness, goodness, generosity, gentleness, faithfulness, modesty, self-control, chastity.

The Precepts of the Church
(from *Catechism of the Catholic Church,* 2041–2043)

1. You shall attend Mass on Sundays and Holy Days of Obligation and rest from servile labor.
2. You shall confess your sins at least once a year.
3. You shall receive the Sacrament of the Eucharist at least during the Easter season.
4. You shall observe the days of fasting and abstinence by the Church.
5. You shall help to provide for the needs of the Church.

Sobre la oración

Orar es elevar nuestras mentes y corazones a Dios. A través de la historia—desde la creación hasta nuestros días—Dios ha llamado a su pueblo a la oración. La oración es como una conversación. Dios nos llama y nosotros respondemos. Nuestra oración es una respuesta al continuo amor de Dios por nosotros.

Podemos rezar en silencio en nuestros corazones o en voz alta. Podemos rezar solos o con otros. Algunas veces no usamos palabras para rezar, sino que nos sentamos tranquilos y nos centramos sólo en Dios. No importa como recemos, siempre que lo hagamos nos volvemos a Dios con esperanza y fe en su amor.

Jesús nos enseñó a rezar con la forma en que él rezaba. Jesús rezó centrándose en Dios, rezando la Escritura, orando con los salmos, dando gracias a su Padre, sanando a otros, perdonando y hablando con Dios sobre sus sentimientos. Aprendemos a rezar con su ejemplo y palabras. Aprendemos a rezar sobre todo a Dios el Padre. Jesús nos enseñó esto especialmente en el Padrenuestro.

El Padrenuestro

El Padrenuestro es: "en verdad, el resumen de todo el evangelio" (*Catecismo de la Iglesia Católica*, 2761). Resume el mensaje de Jesús de confianza y amor por el Padre.

Cuando rezamos el Padrenuestro estamos pidiendo a nuestro Padre que actúe en nuestras vidas y en nuestro mundo para hacer su voluntad. Pedimos al Espíritu Santo que nos ayude a traer el reino de Dios al corazón y las vidas de las personas. Y esperamos el regreso del Señor al final de los tiempos.

Oren siempre

El Espíritu Santo guía a la Iglesia en la oración. San Pablo escribió a las primeras comunidades cristianas: "Oren en todo momento" (1 Tesalonisenses 5:17). También hacemos esto llamando a Dios todos los días, recordando su presencia entre nosotros.

El hábito de rezar diariamente aumenta al tomar tiempo especial para la oración personal:

- en la mañana, ofreciendo nuestro día a Dios
- antes y después de las comidas, agradeciendo a Dios nuestros alimentos
- en la noche, reflexionando en lo que hicimos o dejamos de hacer para mostrar amor a Dios y a los demás.

El hábito de orar diariamente aumenta al unirnos a otros en la comunidad parroquial para rezar. Esto lo hacemos en la celebración de la misa. Otra forma es por medio de la Liturgia de las Horas. La Liturgia de las Horas está compuesta de salmos, lecturas de la Biblia y enseñanzas de la Iglesia, oraciones y cantos. Se hace varias veces durante el día y nos ayuda a alabar a Dios todo el día. Orar la Liturgia de las Horas nos recuerda que Dios está siempre presente y activo en nuestras vidas.

Nota: Para más oraciones y devociones católicas vea *Creemos y oramos: oraciones y devociones para jóvenes católicos*, o visite www.sadlier.com

About Prayer

Prayer is the raising of our hearts and minds to God. Throughout history—from Creation to the present day—God has called his people to prayer. Prayer is like a conversation: God calls to us, and we respond. Our prayer is a response to God's constant love for us.

We can pray in the silence of our hearts, or we can pray aloud. We can pray alone or with others. Sometimes we do not use words to pray, but sit quietly trying to focus only on God. But however we pray, we turn to God with hope and faith in his love for us.

Jesus taught us to pray by showing us how he prayed. Jesus prayed by quietly focusing on God, studying Scriptures, praying the psalms, giving thanks to his Father, healing people, forgiving people, and talking to God about his feelings. From the example and words of Jesus we learn to pray above all to God the Father. Jesus taught us to do this most especially in the Lord's Prayer.

The Lord's Prayer

The Lord's Prayer, also called the Our Father, "is truly the summary of the whole gospel" (*Catechism of the Catholic Church*, 2761). It sums up Jesus' message of trust in and love for the Father.

When we pray the Lord's Prayer, we are asking our Father to act in our lives and in our world so that we do what he wills. We ask the Holy Spirit to help us to make the Kingdom of God come alive in people's hearts and lives. And we hope for the Lord's return at the end of time.

Praying Always

The Holy Spirit guides the Church to pray. Saint Paul wrote to the early Christian communities, "Pray without ceasing" (1 Thessalonians 5:17). We do this, too, calling on God throughout the day, remembering his presence among us.

The habit of daily prayer grows by making special times for personal prayer:

- in the morning, offering our entire day to God
- before and after meals, giving God thanks for our food
- at night, reflecting on ways we have or have not shown love for God and others.

The habit of daily prayer also grows by joining in prayer with other members of the Church. We do this when we gather with our parish for the celebration of the Mass. Another way is through the Liturgy of the Hours. The Liturgy of the Hours is made up of psalms, readings from Scripture and Church teaching, prayers and hymns. It is celebrated at various times during the day, and helps us to praise God throughout the entire day. Praying the Liturgy of the Hours reminds us that God is always active and present in our lives.

Note: Look for more prayers and Catholic devotions in *We Believe and Pray, Prayers and practices for young Catholics*, or visit www.sadlier.com

Formas de orar

Guiados por el Espíritu Santo rezamos de esta manera:

Oración de bendición

"La gracia de Jesucristo, el Señor, el amor de Dios y la comunión en el Espíritu Santo, estén con todos ustedes". (2 Corintios 13:13)

Bendecir es dedicar algo a alguien o a Dios o hacer algo santo en nombre de Dios. Dios nos bendice constantemente con muchos dones. Como Dios nos bendice primero, podemos bendecir a otras personas y cosas.

Nota: La señal de la cruz (página 12)
Gloria al Padre (página 14)
El Padre Nuestro (página 24)
Oración al Espíritu Santo (página 48)
Acto de contrición (página 140)
Ave María (página 160)
Santo, Santo, Santo (página 106)
Aclamaciones (página 34)

Oración de petición

"Dios mío, ten compasión de mí, que soy un pecador". (Lucas 18:13)

En las oraciones de petición pedimos algo a Dios. Pedir perdón es la oración de petición más importante.

Oración de intercesión

"Y le pido que el amor de ustedes, crezca más y más en conocimiento". (Filipenses 1:9)

La intercesión es un tipo de petición. Cuando rezamos este tipo de oración estamos pidiendo algo para otra persona o para un grupo de personas.

Oración de acción de gracias

"Padre, te doy gracias, porque me has escuchado". (Juan 11:41)

En nuestras oraciones de acción de gracias mostramos gratitud a Dios por todo lo que nos ha dado, especialmente por la vida, la muerte y resurrección de Jesús. La mayor oración de acción de gracias de la Iglesia es la Eucaristía.

Oración de alabanza

"Alabaré al Señor mientras viva". (Salmo 146:2)

En la alabanza damos gloria a Dios por ser Dios. Alabamos a Dios simplemente por él ser Dios.

Forms of Prayer

Urged by the Holy Spirit, we pray these basic forms of prayer.

Prayers of blessing

"The grace of the Lord Jesus Christ and the love of God and the fellowship of the holy Spirit be with all of you." (2 Corinthians 13:13)

To bless is to dedicate someone or something to God or to make something holy in God's name. God continually blesses us with many gifts. Because God first blessed us, we, too, can pray for his blessings on people and things.

Prayers of petition

"O God, be merciful to me a sinner." (Luke 18:13)

In prayers of petition we ask something of God. Asking for forgiveness is the most important type of petition.

Note: The Sign of the Cross is on page 13.
Glory to the Father is on page 15.
The Lord's Prayer, is on page 25.
Come, Holy Spirit is on page 49.
Act of Contrition is on page 141.
Hail Mary is on page 161.
Holy, Holy, Holy is on page 107.
Memorial Acclamations are on page 35.

Prayers of intercession

"And this is my prayer: that your love may increase ever more and more in knowledge." (Philippians 1:9)

Intercession is a type of petition. When we pray a prayer of intercession, we are asking for something on behalf of another person or a group of people.

Prayers of thanksgiving

"Father, I thank you for hearing me." (John 11:41)

In prayers of thanksgiving, we show our gratitude to God for all he has given to us, most especially for the life, Death, and Resurrection of Jesus. The greatest prayer of thanksgiving is the greatest prayer of the Church, the Eucharist.

Prayers of praise

"I shall praise the LORD all my life, sing praise to my God while I live." (Psalm 146:2)

In prayers of praise we give glory to God for being God. We praise God simply because he is God.

Oraciones y devociones católicas

¿Qué sabes sobre los sacramentales?

Bendiciones, acciones y objetos que nos ayudan a responder a la gracia de Dios recibida en los sacramentos son llamados *sacramentales*. Los sacramentales son usados en la liturgia y en oraciones personales. He aquí algunos ejemplos de sacramentales:

- bendiciones de personas, lugares, comidas y objetos
- objetos tales como rosarios, medallas, crucifijos, cenizas benditas y palmas benditas
- acciones tales como hacer la señal de la cruz y signarse con agua bendita.

El rosario

El rosario es un sacramental. Rezar el rosario es una devoción popular a María. Podemos rezar el rosario solos o con otras personas. Podemos rezar el rosario a cualquier hora del día.

El rosario es generalmente rezado usando unas cuentas atadas a un crucifijo. Rezamos el rosario rezando el Padrenuestro, el Ave María y el Gloria al Padre una y otra vez. Eso crea un ritmo de oración en paz durante el cual podemos reflexionar en eventos especiales en la vida de Jesús y María. Los misterios del rosario recuerdan eventos especiales. Recordamos un misterio diferente al inicio de cada decena.

Visita al Santísimo Sacramento

Después de la comunión en la misa, las hostias consagradas que no han sido consumidas se colocan en el tabernáculo. Estas hostias son llamadas Santísimo Sacramento. Una vela especial, llamada *lámpara del santuario*, está siempre encendida cerca del tabernáculo. Esta nos recuerda que Jesús está verdaderamente presente en el Santísimo Sacramento. Podemos visitar a Jesús en el Santísimo Sacramento. Nuestras oraciones muestran a Jesús nuestro amor por él. Es la continuación de la acción de gracia que empezamos en la misa.

Bendición con el Santísimo

La bendición es una práctica antigua de la Iglesia. Viene de la palabra en latín *benedictio* que significa bendecir.

Para la Bendición con el Santísimo se toma una Hostia consagrada y se coloca en un objeto especial llamado *custodia*, para que todos puedan ver el Santísimo Sacramento. La bendición incluye himnos, una bendición y oraciones de alabanzas al Santísimo Sacramento.

Nota: para información sobre los misterios del rosario visite: www.sadlier.com.

Nota: para más oraciones y devociones católicas vea *Creemos y oramos: oraciones y devociones para jóvenes católicos*. William H. Sadlier, Inc.

Prayers and Practices

Do you know about sacramentals?

Blessings, actions, and objects that help us respond to God's grace received in the sacraments are *sacramentals*. Sacramentals are used in the liturgy and in personal prayer. Here are some examples of sacramentals:

- blessings of people, places, foods, and objects
- objects such as rosaries, medals, crucifixes, blessed ashes, and blessed palms
- actions such as making the Sign of the Cross and sprinkling holy water.

The Rosary

The rosary is a sacramental. Praying the rosary is a popular devotion to Mary. We can pray the rosary alone or with others. We can pray the rosary at any time of the day.

The rosary is usually prayed using a set of beads with a crucifix attached. We repeatedly pray the Our Father, Hail Mary, and Glory to the Father on these beads. This creates a peaceful rhythm of prayer during which we can reflect on special events in the lives of Jesus and Mary. The mysteries of the rosary recall these special events. We remember a different mystery at the beginning of each set of prayers, or decade of the rosary.

Visit the Most Blessed Sacrament

After Communion at Mass, the consecrated Hosts that remain are placed in the tabernacle. This reserved Eucharist is called the Most Blessed Sacrament. A special light, called the *sanctuary lamp*, is always kept burning nearby. This light reminds us that Jesus Christ is truly present in the Most Blessed Sacrament. We can "make a visit to Jesus" in the Most Blessed Sacrament. Our prayer shows Jesus our love for him. It continues the thanksgiving that was begun at Mass.

Benediction

Benediction is a very old practice in the Church. The word *benediction* comes from a Latin word for "blessing."

At Benediction a large Host that was consecrated during Mass is placed in a special holder called a *monstrance*, (comes from a Latin word meaning "to show") so that all can see the Most Blessed Sacrament. Benediction includes hymns, a blessing, and praying the "Divine Praises."

Note: For information about the Mysteries of the Rosary and how to pray it visit www.sadlier.com. For more Catholic devotions see *We Believe and Pray, Prayers and Practices for Young Catholics*, or visit www.sadlier.com.

Glosario

absolución (pag. 136) perdón de nuestros pecados en el sacramento de la Penitencia y Reconciliación

alianza (pag. 114) acuerdo especial entre Dios y su pueblo

anunciación (pag. 156) anuncio a María de que sería la madre del Hijo de Dios

apóstoles (pag. 20) doce hombres escogidos por Jesús para compartir su misión en forma especial

asamblea (pag. 100) comunidad de personas que se reúnen para celebrar la misa

ascensión (pag. 42) regreso de Jesús en Gloria con su Padre en el cielo

asunción (pag. 156) la verdad de que al final de su trabajo en la tierra, Dios llevó a María al cielo en cuerpo y alma para estar con Jesús por siempre

Bautismo (pag. 80) el sacramento por medio del cual somos librados del pecado, nos hacemos hijos de Dios y somos bienvenidos en la Iglesia

Biblia (pag. 8) el libro sobre el amor de Dios por nosotros y como Dios nos llama a vivir como su pueblo

Bienaventuranzas (pag. 126) la enseñanza de Jesús que describe la forma en que deben vivir sus discípulos

características de la Iglesia (pag. 54) cuatro características de la Iglesia: una, santa, católica y apostólica

caridad (pag. 128) la más importante de las virtudes que nos permite amar a Dios y a nuestro prójimo

celebrante (pag. 82) el obispo, el sacerdote o el diácono que celebra un sacramento por y con la comunidad

comunión de los santos (pag. 154) la unión de los miembros bautizados de la Iglesia en la tierra y los que están en el cielo y el purgatorio

conciencia (pag. 136) nuestra habilidad de conocer la diferencia entre lo bueno y lo malo, el mal y el bien

confesión (pag. 136) decir nuestros pecados al sacerdote en el sacramento de la Penitencia y Reconciliación

Confirmación (pag. 84) el sacramento por medio del cual recibimos el don del Espíritu Santo de manera especial

contrición (pag. 136) estar arrepentido de nuestros pecados y prometer no pecar de nuevo

conversión (pag. 134) regresar a Dios con todo el corazón

crisma (pag. 82) aceite perfumado bendecido por un obispo

diácono (pag. 56) hombre ordenado para compartir la misión de Cristo ayudando a los sacerdotes en el servicio de la Iglesia

Diez Mandamientos (pag. 114) doce leyes que Dios dio a Moisés en el Monte Sinaí

diócesis (pag. 52) áreas locales de la Iglesia, cada una dirigida por un obispo

discípulos (pag. 20) todo bautizado que sigue a Jesús

divino (pag. 18) palabra que se usa para describir a Dios

encarnación (pag. 18) la verdad de que Dios Hijo, la segunda Persona de la Santísima Trinidad, se hizo hombre

esperanza (pag. 128) virtud que nos permite confiar en la promesa de Dios de compartir su vida con nosotros por siempre

Eucaristía (pag. 90) el sacramento del Cuerpo y la Sangre de Cristo, Jesús está verdaderamente presente bajo las especies de pan y vino

fe (pag. 128) virtud que nos permite creer en Dios y todo lo que la Iglesia nos enseña

gracia (pag. 64) compartir en la vida de Dios

Iglesia (pag. 44) la comunidad de personas bautizadas que siguen a Jesucristo

inmaculada concepción (pag. 156) la verdad de que Dios hizo a María libre de pecado desde el momento de su concepción

Liturgia de la Eucaristía (pag. 102) la parte de la misa en que el pan y el vino se convierten en el Cuerpo y la Sangre de Jesús

Liturgia de la Palabra (pag. 100) la parte de la misa cuando escuchamos y respondemos a la palabra de Dios

obispos (pag. 52) hombres que han recibido el sacramento del Orden y continúan la misión apostólica de dirección y servicio

obras de misericordia (pag. 146) obras de amor que hacemos para satisfacer las necesidades de los demás

obras corporales de misericordia (pag. 146) obras de amor que nos ayudan a cuidar de las necesidades físicas de los demás

obras espirituales de misericordia (pag. 148) obras de amor que nos ayudan a cuidar de las necesidades del corazón, la mente y el alma

papa (pag. 52) obispo de Roma que dirige a toda la Iglesia Católica

párroco (pag. 56) sacerdote que dirige a una parroquia en la adoración, la oración y la enseñanza

parroquia (pag. 56) comunidad de creyentes que rinde culto y trabajan juntos

pecado (pag. 136) pensamiento, palabra, obra u omisión contra la ley de Dios.

pecado original (pag. 10) primer pecado cometido por los primeros humanos.

penitencia (pag. 136) oración u obra que hacemos para rescindir nuestros pecados

Pentecostés (pag. 44) día en que el Espíritu Santo bajó a los discípulos

presencia real (pag. 28) la verdad de que Jesús está presente en la Eucaristía

reino de Dios (pag.22) el poder del amor de Dios

resurrección (pag. 32) misterio de que Jesús resucitó de la muerte

Ritos de Conclusión (pag. 104) la última parte de la misa en la que somos bendecidos y enviados a servir a Cristo en el mundo y a amar a los demás como él nos amó

Ritos Iniciales (pag. 100) la parte de la misa que nos une como comunidad y nos prepara para escuchar la palabra de Dios y para celebrar la Eucaristía

sacerdote (pag. 56) hombres que han sido ordenados para predicar el evangelio y para servir a los fieles, especialmente celebrando la Eucaristía y los sacramentos

sacramento (pag. 64) un signo efectivo dado por Jesucristo por medio del cual compartimos en la vida de Dios

sacrificio (pag. 92) una ofrenda a Dios por un sacerdote en nombre del pueblo

Salvador (pag. 32) título dado a Jesús porque murió y resucitó para salvarnos

Santísima Trinidad (pag. 12) tres Personas en un Dios: Dios el Padre, Dios el Hijo, y Dios Espíritu Santo.

santos (pag. 154) seguidores de Cristo que vivieron vidas de santidad en la tierra y ahora comparten la vida eterna con Dios en el cielo

última cena (pag. 28) última comida que Jesús compartió con sus discípulos antes de morir

virtud (pag. 126) un hábito bueno que nos ayuda a actuar de acuerdo al amor de Dios en nosotros

Glossary

absolution (page 137) forgiveness of our sins by the priest in the name of Christ and the Church and through the power of the Holy Spirit in the Sacrament of Penance and Reconciliation

Annunciation (page 157) the announcement to Mary that she would be the Mother of the Son of God

Apostles (page 21) the twelve men whom Jesus chose to share in his mission in a special way

Ascension (page 43) Jesus' return in all his glory to his Father in Heaven

assembly (page 101) the community of people who gather for the celebration of the Mass

Assumption (page 157) the truth that when Mary's work on earth was done, God brought Mary body and soul to live forever with the risen Christ

Baptism (page 81) the sacrament in which we are freed from sin, become children of God, and are welcomed into the Church

Beatitudes (page 127) Jesus' teachings that describe the way to live as his disciples

Bible (page 9) the book about God's love for us and about our call to live as God's people: the Bible is the Word of God.

bishops (page 53) men who have received the fullness of the Sacrament of Holy Orders, and as the successors of the Apostles continue to lead the Church

Blessed Trinity (page 13) the three Persons in one God: God the Father, God the Son, and God the Holy Spirit

celebrant (page 83) the bishop, priest, or deacon who celebrates a sacrament for and with the community

charity (page 129) or love, the greatest of all virtues that enables us to love God and to love our neighbor

Chrism (page 83) perfumed oil blessed by the bishop

Church (page 45) the community of people who are baptized and follow Jesus Christ

Communion of Saints (page 155) the union of the baptized members of the Church on earth with those who are in Heaven and in Purgatory

Concluding Rites (page 105) the last part of the Mass in which we are sent to love and serve the Lord each day by bringing the peace and love of Jesus to everyone we meet

confession (page 137) telling our sins to the priest in the Sacrament of Penance and Reconciliation

Confirmation (page 85) the sacrament in which we receive the Gift of the Holy Spirit in a special way

conscience (page 137) our ability to know the difference between good and evil, right and wrong

contrition (page 137) being sorry for our sins and promising not to sin again

conversion (page 135) turning back to God with all one's heart

Corporal Works of Mercy (page 147) acts of love that help us care for the physical and material needs of others

covenant (page 115) a special agreement between God and his people

deacon (page 57) a baptized man who in the Sacrament of Holy Orders, has been ordained to serve the Church by preaching, baptizing, performing marriages, and doing acts of charity

diocese (page 53) local areas of the Church, each led by a bishop

disciples (page 21) those who follow Jesus

divine (page 19) a word we use to describe God

Eucharist (page 91) the sacrament of the Body and Blood of Christ, Jesus is truly present to us under the appearances of bread and wine

faith (page 129) the virtue that enables us to believe in God and all that the Church teaches us

grace (page 65) the gift of God's life in us

hope (page 129) the virtue that enables us to trust in God's promise to share his life with us forever

Immaculate Conception (page 157) the truth that God created Mary free from Original Sin and from all sin from the very first moment of her life, her conception

Incarnation (page 19) the truth that God the Son, the second Person of the Blessed Trinity, became man

Introductory Rites (page 101) the part of the Mass that unites us as a community, prepares us to hear God's Word, and to celebrate the Eucharist

Kingdom of God (page 23) the power of God's love active in our lives and in our world

Last Supper (page 29) the last meal Jesus shared with his disciples before he died

Liturgy of the Eucharist (page 103) the part of the Mass when the bread and wine become the Body and Blood of Christ

Liturgy of the Word (page 101) the part of the Mass when we listen and respond to God's Word

Marks of the Church (page 55) the four characteristics of the Church: one, holy, catholic, and apostolic

Original Sin (page 11) the first sin committed by the first human beings

parish (page 57) a community of believers who gather together to worship God and work together

pastor (page 57) the priest who leads the parish in worship, prayer, teaching, and service

penance (page 137) a prayer or an act of service that we do to show we are sorry for our sins

Pentecost (page 45) the day the Holy Spirit came upon Jesus' disciples

pope (page 53) the Bishop of Rome who leads and guides the Catholic Church

priests (page 57) baptized men who are ordained to preach the Gospel and serve the faithful, especially by celebrating the Eucharist and the other sacraments

Real Presence (page 29) the true presence of Jesus Christ in the Eucharist

Resurrection (page 33) the mystery of Jesus Christ rising from the dead

sacrament (page 65) an effective sign given to us by Jesus Christ through which we share in God's life

sacrifice (page 93) a gift offered to God by a priest in the name of all the people

saints (page 155) followers of Christ who lived lives of holiness on earth and now share in eternal life with God in Heaven

Savior (page 33) a title given to Jesus because he died and rose from the dead to save us

sin (page 137) a thought, word, deed, or omission against God's law

Spiritual Works of Mercy (page 149) acts of love that help us care for the needs of people's hearts, minds, and souls

Ten Commandments (page 115) the laws of God's covenant given to Moses for all the people

virtue (page 127) a good habit that helps us to act according to God's love for us

Works of Mercy (page 147) the loving acts that we do to care for the needs of others

Acknowledgments

Photo Credits

Cover: Alamy/14images-travel-1: *top right background*; Alamy/Paul Gisby Photography: *center right*; Alamy/Jim Lundgren: *center left*; Alamy/Oleksiy Maksymenko: *top right inset*; The Crosiers/Gene Plaisted, OSC: *top left background*; Getty Images/Photographer's Choice RR/Murat Taner: *top left inset*; Jupiter Images/amanaimages/Orion Press: *bottom center*; Greg Lord: *bottom right*; W.P. Wittman Ltd: *bottom left inset.*

Interior Photos: Alamy/Caro/Riedmiller: 188; Corbis Super RF: 113 *bottom*, 185; JL Images: 71; Pixonnet.com: 70 *bottom right*; Gary Roebuck: 191 *bottom*; Neil Setchfield: 158, 159. AP Images/Mel Evans: 119 *top right*. Art Resource, NY/Alinari: 90–91; Scala: 18–19. Jane Bernard: 65 *bottom*, 94–95, 102–103, 134 *top*, 136 *top*, 137 *bottom*, 179, 183 *top*. Karen Callaway: 65 *top*, 66 *top right*, 181 *bottom*, 183 *bottom*. Corbis/Rick Barrentine: 184; BelOmbra/Jean Pierre Amet: 187; Godong/Philippe Lissac : 189; Osservatore Romano/Arturo Mari: 52–53. The Crosiers/Gene Plaisted, OSC: 11, 31, 32–33, 84, 85 *bottom*, 92, 95 *right*, 114, 174, 175, 176, 177, 181 *top*, 182, 201. Culture and Sport Glasgow (Museums), Salvador Dali/Christ of St. John of the Cross: 30. Digital Stock Corporation: 198 *left*, 200 *bottom*. The Diocese of Pittsburg: 52 *left*. Dreamstime.com/Travelling-light: 8 *top*. Neal Farris: 40–41, 50–51, 56, 57, 100 *left*, 102, 138, 139, 162, 163, 178, 199. Malaika Favorite © 2007, mixed media, first shown at The Marian Library International: 156. Lucas Foglia: 190 *top*. Getty Images/Blend Images/Hill Street Studio: 79; Digital Vision: 78 *top*; The Image Bank/Larry Dale Gordon: 98 *bottom*; Photodisc/Spike Mafford: 67 *top*; Stock4B: 119 *bottom left*; Taxi/Arthur Tilley: 144 *left*. The Image Works/Assunta Del Buono/John Birdsall Archive: 149 *top*; Bob Daemmrich: 148 *top*; Michael J. Doolittle: 147 *top*; Chris Fitzgerald: 186; Jeff Greenberg: 194; Syracuse Newspapers/David Lassman: 145 *right*. Jupiter Images/amana images/Orion Press: 6–7; Bananastock: 128–129; Brand X Pictures: 144 *right*; Comstock: 190 *bottom*; Corbis: 148 *bottom*; Creatas: 142–143 *center*; liquidlibrary: 147 *bottom*; Pixland: 6 *bottom inset*; Workbook Stock/Zave Smith: 135 *top*. Ken Karp: 12–13, 64 *top*, 80, 82, 108, 109, 116–117, 142–143 *bottom*, 172, 173, 200 *top*. Evelyn O'Connor/Manager of the Public Relations of Resurrection Medical Center in Chicago, IL: 193. Palm Beach Post/ ©Steve Mitchell: 195. Photodisc/C Squared Studios: 118 *top left*, 119 *bottom right*, 157 *frame*; Siede Preis: 118 *bottom right*, 119 *top left*. Photo Edit Inc./Myrleen Ferguson Cate: 118 *top right*. Punchstock/Blend Images: 99 *center*; Creatas: 99 *top*; Design Pics: 10 *top*, 28, 192; Digital Vision: 113 *top*; Image Source: 112, 118 *top left inset*, 149 *bottom*; Photodisc: 98 *top*, 138 *background*, 139 *background*. Used under license from Shutterstock.com/Sergey Dubrovsky: 7 *bottom inset*; Sonya Etchison: 118 *bottom left*; Karl P. Martin: 37 *top*; oowenoc: 126–127, 128–129 *background*; Noah Strycker: 142 *center background*; Jiri Vaclavek: 112–113 *background*. ©Robert Silvers 2001, Photomosaics™ is the trademark of Runaway Technology, Inc., www.photomosaic.com US Patent No. 6, 137, 498: 8–9. Sisters of the Resurrection: 145 *left*. Stockbyte: 197. Superstock/Diane Ong: 154–155; Peter Willi/Maurice Denis/© 2008 Artists Rights Society, New York/ADAGP, Paris: 157. ©Ubisoft: 40 digital chess game inset. Veer/Corbis: 119 *bottom right inset*; Fancy Photography: 142–143 *top*; Rubberball: 55; Stockbyte: 142 *center*. W.P. Wittman Ltd: 42, 54, 66 *top left*, 67 *bottom right*, 67 *bottom left*, 81, 83, 85 *top*, 93, 101, 115, 146, 180, 196.

Illustration Credits

Matt Archambault: 152–153. David Barnett: 20–21, 44–45, 62–63. Tom Barett: 104–105. Kenneth Batelman: 22–23. Eric Fortune: 88–89. John Haysom: 29, 124–125. Jacey: 98–99. W.B. Johnston: 174–175, 176–177. John Lavin: 26–27. Dave LaFleur: 80–81, 82–83. Darryl Ligason: 16–17. Angela Martini: 132–133. Neil Slave: 46–47. Lin Wang: 122–123. Brian White: 60–61.